Roger Frison-Roche est ....ille
savoyarde. A dix-sept ans il se ....igue
bientôt comme alpiniste, comme guide, tout en collaborant à divers
journaux.
Dès 1935, une expédition dans les montagnes du Sahara central (qu'il
évoqua dans L'Appel du Hoggar) *lui révèle l'Afrique. En 1938, il*
s'installe à Alger comme journaliste. C'est là qu'il écrit Premier de
cordée.
Correspondant de guerre en 1942 sur le front tunisien, fait prisonnier,
transféré en France, il gagne le maquis de Savoie et termine la guerre
comme lieutenant de chasseurs alpins. De retour en Algérie, il partage
son temps entre le grand reportage et la rédaction d'un nouveau
roman : La Grande Crevasse.
De ses nombreux séjours au Sahara, il rapporte avec Georges Tairraz
un film en couleurs d'une surprenante beauté, l'album Le Grand
Désert, *aujourd'hui épuisé, et un grand roman saharien :* Bivouacs
sous la lune, *dont* La Piste oubliée *(1950),* La Montagne aux Écritures
(1952), Le Rendez-vous d'Essendilène *(1954) forment les trois parties.*
Après Retour à la montagne *(1957), nouvelle vision des drames alpins,*
l'éternel voyageur qu'est Roger Frison-Roche publie deux très beaux
romans sur la Laponie : Le Rapt *et* La Dernière Migration.
Montagnards de la nuit, *roman de la Résistance en Savoie, paraît en*
1968, tandis que Peuples chasseurs de l'Arctique *(1966) et* Nahanni
(1969), récits de deux expéditions successives dans le Grand Nord
canadien — 2 000 kilomètres en traîneau à chiens, remontée en canot
de la rivière mangeuse d'hommes — évoquent magistralement la vie
des Eskimos et des Indiens.

C'est le désir de savoir comment les Indiens des forêts s'accommo-
dent des progrès de notre siècle qui ramène Roger Frison-Roche
dans le Grand Nord canadien au cours de l'été 1969 avec son ami
le photographe Pierre Tairraz, trois ans après avoir vu vivre en hiver
les peuples chasseurs de l'Arctique. Et c'est le goût des pays sauvages
à peine explorés qui les incite à tenter par la même occasion la
reconnaissance de la Nahanni River.
Nahanni signifie en indien « la vallée sans hommes » et la rivière qui
l'a creusée mérite bien ce nom car elle a tué nombre de ceux —
explorateurs ou prospecteurs — qui se sont risqués sur ses eaux
tumultueuses. Les rivières sont souvent le seul moyen de pénétration
des montagnes, mais la Nahanni pourra-t-elle jamais être navigable ?
Les deux Français ont voulu s'en rendre compte et ont trouvé sur
place les meilleurs des guides : le père Mary, missionnaire, et Gus
Kraus, le prospecteur.
Roger Frison-Roche nous fait vivre avec lui la préparation et l'exécution de cette randonnée dont il évoque à merveille les périls et les
beautés tout au long de la remontée, à travers cañons et rapides
jusqu'aux vertigineuses chutes Virginia, de la rivière indomptée.

ROGER FRISON-ROCHE

Nahanni

ARTHAUD

Au Révérend Père Mary, O.M.I.,
missionnaire de la Liard.

A Gus Kraus,
prospecteur de la Nahanni.

I

ESKIMOS ET PETROLIERS
D'INUVIK

I

DE CALGARY A YELLOWKNIFE :
LE GRAND NORD CANADIEN

A L'HEURE où j'écris ces lignes deux hommes se sont posés sur la Lune, ont marché sur la planète morte, puis sont revenus sur terre. Le rêve fabuleux de tous les temps est réalisé ! C'est la plus grande aventure de l'humanité, mais ce n'est plus une aventure à l'échelle humaine, bien plutôt le triomphe de l'électronique, la soumission à la science de milliers de cerveaux, la consécration de l'astrophysique. A ce stade l'aventure n'est plus un exploit personnel ; pour réussir, les valeureux Armstrong, Aldrins et Collins n'avaient qu'à obéir ; leurs pas, leurs gestes, leurs recherches, tout était prévu à la seconde près et même s'ils l'avaient désiré, ils n'auraient rien pu changer ; seuls les battements de leurs cœurs, plus rapides aux instants critiques, rappelaient qu'ils étaient encore des hommes : des robots pensants ! Encore ! Leurs pulsations cardiaques étaient comptées à des centaines de milliers de kilomètres par les médecins comme ceux-ci l'auraient fait avec un stéthoscope posé sur leur poitrine.

Que représente, à côté de cet exploit, la modeste aventure humaine que je vais vous conter et qui se déroule sur notre planète, mais dans le plus grand désert humain de la Terre, les Territoires du Nord du Canada ? Qui connaît la Nahanni hormis quelques experts ? Peut-être un petit groupe d'initiés, depuis que quatre jeunes Français audacieux ont accompli, en 1965, le premier parcours intégral de cette rivière tragique dont l'exploration aura coûté à ce jour quarante-trois morts, et des disparitions mystérieuses.

Etait-il nécessaire de revenir sur une aventure aussi parfaite que fut notre expédition de 1966 chez les Indiens du Grand Lac des Esclaves[1] ? Il y a trois ans c'était l'hiver arctique dans toute sa rigueur, et nous avions supporté durant trois mois des températures oscillant entre moins 30 et moins 40 degrés centigrades. Et voici qu'en moins de quinze jours nous venons de passer, sans transition, de l'hiver au printemps. Quelle métamorphose ! Hier encore les fleuves charriaient les énormes glaçons de la débâcle, aujourd'hui leurs eaux sont libres, boueuses et tumultueuses ! De ces terres du Nord je ne connaissais que le man-

---

1. Relatée dans *Peuples chasseurs de l'Arctique*, Arthaud, 1966.

teau de neige, la glace des lacs, le froid terrible et le blizzard qui tue, l'immobilité et le silence d'une planète morte. Aujourd'hui tout n'est que bruissements d'insectes, myriades de moustiques écloses spontanément des mousses et des lichens des marécages, rafales de vent de sable parcourant les forêts désertiques du Grand Nord.

Déjà la « Dew-Line », cette ligne de radars et de bases aériennes implantée par les Américains sur le 69e parallèle, avait considérablement modifié la vie des Eskimos du Grand Nord ; ce qu'il en est advenu je crois l'avoir dit dans *Peuples chasseurs de l'Arctique*. Mes prévisions se sont vérifiées, nous assistons à la mutation complète du peuple eskimo, mais les Indiens... les Indiens au cœur de la plus grande forêt du monde, où en sont-ils avec le progrès ? C'est ce que je voulais savoir. C'est pourquoi je suis revenu.

Mais, auparavant, je n'ai pu résister à l'invitation de mon ami, M. Tenaille, directeur des Recherches pétrolières de la compagnie française « Elf » pour tout le Canada ; celle-ci procède, avec toute une équipe dirigée depuis Calgary par un homme énergique, M. Maréchal, à des recherches de pétrole sur l'île Mackenzie King, l'une des plus éloignées et des plus arides du pôle Nord, au 77e parallèle, en bordure de la mer de Beaufort éternellement figée.

« Vous voulez monter là-haut ? m'écrivait

M. Tenaille depuis son bureau parisien. Nous avons des avions sans cesse, voyez donc Maréchal à Calgary ! »

Un séjour à Calgary, que nous avions atteint après trois jours et trois nuits de voyage dans l'immense train du *Canadian Pacific Railway* (la grève d'*Air Canada* paralysant à l'époque tous les vols au Canada), m'avait permis de découvrir cette énorme ville de quatre cent mille habitants répartis sur une aire urbaine de plus de trente kilomètres, une ville américaine cent pour cent, avec ses gratte-ciel au centre, et puis, à l'infini, le réseau compliqué des banlieues aux milliers de petites maisons individuelles entourées de pelouses ou de jardinets. Mais Calgary vit actuellement la fièvre du pétrole ; des gisements importants ont été découverts tout près, à la lisière des montagnes Rocheuses, et le plus gros « boom » vient d'être fait par une société française, « les Pétroles d'Aquitaine », qui, reprenant la prospection sur une concession abandonnée par les chercheurs américains, a réussi, après avoir refait tous les calculs, à faire jaillir le pétrole en abondance ; un véritable coup de maître tout à l'honneur de la technique française, et sans passer pour chauvin on peut bien l'applaudir, car cette réussite confère aux Français de Calgary une importance qu'ils ne possédaient certes pas jusque-là. Le résultat : le plus beau gratte-ciel de la ville s'élève d'un étage par mois et il appartient aux Pétroles d'Aquitaine.

12

J'ai retrouvé à Calgary mon vieil ami Thierriaz, qui m'avait si bien renseigné sur les conditions polaires en 1966 ; à l'époque il organisait justement la base de recherches de l'île Mackenzïe King. Maintenant sa vie a changé. La firme qui l'employait a fondé à Calgary une société française, la « C.O.D.I.G.I.T. », dont la raison d'être est d'exploiter avec des ordinateurs, des « computers », les renseignements fournis par les recherches sismiques dans le monde entier, et en moins d'un an les ingénieurs français ont conquis ce marché extraordinaire. Dans des locaux nets comme des laboratoires, des machines silencieuses répondent aux interrogations qui leur sont posées, déroulent des plans et des coupes de l'écorce terrestre, signalent la nature des roches, la forme des plissements, les failles, les nappes.

« Tiens, me dit-il, voici une coupe de la mer de Java, et ici celle d'un plissement en Amérique du Nord ; là, c'est au Pôle !... »

Nous sommes très loin de notre aventure personnelle ! Pensons-y !

« J'ai un avion mercredi prochain, me propose Maréchal.

— Nous le prendrons à Yellowknife, dis-je, car je ne peux pas perdre de vue le but de mon voyage, une étude chez les Indiens du Bush en saison d'été, et, si cela est possible, une reconnaissance de la rivière Nahanni.

— Ah ! Ah ! fait-il, la Nahanni, alors vous aussi... attention, c'est la rivière dramatique

13

par excellence... quarante-trois morts à ce jour...

— On verra bien ! »

N'est-ce pas justement ce sortilège qui m'attire ? Il est encore trop tôt pour en parler. Nous allons quitter Calgary, nos amis français, et, après une rapide visite à Banff et au Parc national des Rocheuses, nous prendrons le « Jet » pour Yellowknife. Je veux y obtenir des renseignements plus précis sur la Nahanni ; puis essayer de me rendre à l'invitation des pétroliers et faire un saut de quelque cinq mille kilomètres jusqu'à Mackenzie King. Je peux disposer pour cela de quinze jours au maximum. Après quoi nous tenterons de remonter la Nahanni.

Nous avons confié à Mme Thierriaz nos complets vestons, nos cravates, nos enveloppes d'hommes civilisés, et nous partons comme autrefois, en tenue de skieurs : anoraks, fuseaux, bottes d'après-ski, toque de fourrure.

Le « Jet » qui nous emmène est un aérobus de grande capacité, il est bondé de voyageurs, et ceux-ci ne ressemblent en rien à ceux que j'ai connus jadis. Notre avion vole vers le Grand Nord mais on se croirait sur un moyen courrier entre Londres et Paris. Nous faisons figure de minables avec notre accoutrement de « bush ». En ce pays canadien où la cravate le jour et le « black-tie » le soir sont indispensables, nous devons passer pour quelques « hippies » à la recherche d'une nouvelle

14

forme de vie. Mais les hippies ne volent pas vers le Nord. Loin de se disperser dans des solitudes qui seraient si propices à leurs pensées philosophiques ils se rassemblent au contraire comme des mouches au cœur des métropoles.

Pourtant, s'ils sentaient comme nous battre le cœur de notre vieille planète !... Ce monde qui défile sous nos ailes, vu de six mille mètres d'altitude, est plus qu'une carte géographique, une projection astrale, où rien n'indique une présence humaine. Ainsi doivent la découvrir les astronautes à leur retour de missions stellaires. La taïga, la grande forêt, recouvre uniformément la plaine aussi loin que se perd l'horizon dans des brumes indéfinies. Mais partout miroitent des lacs, des lacs, encore des lacs, comme autant d'yeux brillants qui nous fascinent ; un long serpent d'argent se love dans cette couverture de velours sombre, le même fleuve qui change de nom, comme s'il voulait faire oublier qu'avec ses quatre mille six cents kilomètres de parcours et le volume d'eau charrié il est l'un des plus grands du monde. Il sourd des glaces du mont Columbia dans les Rocheuses ; prenant d'abord le nom d'Athabasca, il se jette dans le Grand Lac Athabasca d'où il ressort sous le nom de Rivière des Esclaves, ayant doublé son volume d'eau avec l'apport de la Peace River, puis, après avoir mêlé ses eaux à celles du gigantesque Lac des Esclaves, il s'échappe par la corne ouest du lac sous le nom définitif de Mackenzie, drainant un immense bassin, recevant des affluents à eux seuls plus importants qu'un fleuve européen, pour finalement se perdre dans un important delta glaciaire, au 69e parallèle, dans les eaux polaires de la mer de Beaufort, tout près de la frontière nord de l'Alaska.

Cette vision aérienne, se déroulant comme un fil à quelque huit mille mètres d'altitude, procure une sorte d'enchantement par la majesté de ses dimensions. Aucun détail ne se révèle, nous volons trop haut, et seules quelques nuées d'orage qui fuient sous nos ailes nous indiquent approximativement notre vitesse. Tandis que nos compagnons compulsent dossiers et statistiques, nos pensées cherchent à percer le mystère vers lequel nous nous dirigeons. Cette rivière Nahanni dont nous ne savons rien sinon qu'elle est meurtrière et idéalement belle, et que son nom indien veut dire « la Vallée sans hommes », où se cache-t-elle ? Nous avons perdu de vue la cordillère neigeuse des montagnes Rocheuses, et ses principaux « quatre mille », peu après avoir survolé Edmonton, capitale de l'Alberta. Maintenant les montagnes se sont éloignées vers l'ouest et ont disparu dans le magma grisâtre de l'atmosphère brumeuse ; nous les retrouverons dans quinze jours si tout va bien. Mais déjà l'aventure est en nous, et la passion bien humaine de découvrir tout seul ce qui se refuse à d'autres. S'il n'y avait pas cette part d'inconnu, de mystère, voire d'angoisse, nous ne la tenterions pas. Que ce soit en montagne, sur la mer, dans les airs, l'aventure c'est avant tout une confrontation avec soi-même ; tous les autres mobiles sont secondaires. L'aventure, c'est la poésie de l'action. Il se peut qu'il y ait comme un leurre au bout du compte ! La richesse, le pouvoir, la notoriété, en vérité cela ne compte pas, ne peut pas compter. Sinon Gus Kraus, le chercheur d'or de la Nahanni, ne se serait pas fixé pour toujours, après ses échecs, à l'entrée des cañons sauvages, ne vivant que de la chasse et des fourrures comme un Indien qu'il est devenu ; sinon Dick Turner, le « Trader », le commerçant richissime, n'aurait pas construit sa luxueuse maison, au confluent sauvage de la rivière Liard et de la Nahanni, pour y vivre en ermite confortable avec sa femme et son fils.

Voici que se précise l'atterrissage, l'avion a perdu de la hauteur, la charmante hôtesse de l'air nous a distribué des bonbons, nous avons attaché nos ceintures, gestes rituels qui n'étonnent plus. Le Lac des Esclaves, que nous survolons sud-nord, est encore gelé dans sa plus grande superficie, et on y distingue les traces des snowbiles de l'hiver, le lacis des empreintes des skidoos, la piste régulière des traîneaux à chiens... Mais alentour la taïga éclate de renouveau, les bois de spruces (l'épinette

LE GRAND NORD CANADIEN

OCEAN

80°

cercle polaire

ALASKA

INUVIK   Esquimos
              Ile
Mackenzie   Victoria

Indiens
Nahanni

FORT SIMPSON

NAHANNI BUTTE   YELLOW-
                     KNIFE
FORT   SNOWDRIFT
Liard   LIARD

OCEAN PACIFIQUE

EDMONTON

VANCOUVER   CALGARY

du Québec, l'épicéa de France) arborent le vert très pâle de leur floraison sur les ors et les roux de l'automne précédent. Paysage nouveau et inquiétant par ce qu'il nous propose de calme et de semblable à nos forêts françaises. Comme si d'un coup l'aventure s'était tarie aux sources du dégel. Pierre, qui pense à ses photos futures, en fait la remarque avec concision :

« Ça a moins de gueule, mais pour la couleur ça ira ! »

L'avion prend son terrain, nous dévoile dans un abaissement d'aile des immeubles de cinq étages, des constructions nouvelles, des grues, des échafaudages.

Yellowknife !

L'arrivée du « Jet » quotidien ne provoque aucune surprise. Ici, on ne s'étonne de rien. Un taxi pris en commun avec trois graves passagers nous conduit par la route nouvelle qui serpente entre les lacs gelés jusqu'à la ville. Les constructions surgies du bush se dressent en rempart de chaque côté. Yellowknife a de la chance, la roche affleure partout et l'on construit directement sur le granit. Aucun des inconvénients du « permafrost », cette épaisseur marécageuse de terre gelée qui, partout ailleurs, pose des problèmes difficiles aux constructeurs. Yellowknife, c'est du solide.

Les larges rues sont sèches mais parcourues par des rafales de poussière. Il fait chaud,

20

puis très froid, car le souffle du Nord passe sur la ville et combat les vents d'ouest. Dans le ciel, d'énormes corbeaux arbitrent la lutte des nuées. Ce sont les éboueurs du pays. Mais le printemps qui s'achève est la période sale pour toutes les villes qui ont subi sept mois de neige ; le sable et le sel dont on a saupoudré les rues tout au long de l'hiver s'envolent en tourbillons, plâtrent les vitrines, empoussièrent les gens.

L'hôtel est complet. Il fallait s'y attendre. C'est la faute de l'avion moderne.

« Patientez, nous dit la réceptionnaire en mini-jupe, s'il y a une défection... »

Elle nous a regardés avec dédain. Nous n'avons pas bonne mine, il est vrai, dans ce hall presque luxueux.

Nous entassons nos bagages — et il y en a ! — contre un pilier du hall et nous attendons.

Nous savons d'expérience que dans ces pays du Grand Nord il faut s'armer de patience, car rien n'est facile, rien n'arrive à l'heure prévue ; ce manque d'exactitude est un défaut typiquement canadien auquel on se fait à la longue. Personne ne s'étonne d'un retard de quelques heures, voire de quelques jours. Attendons !

Sur le tard, la réceptionnaire de l'hôtel semble sortir d'un rêve et nous donne notre clef ; il y a eu défection.

« Vingt-huit dollars », dit-elle, puis elle retourne à la lecture des « comics », ces bandes

21

dessinées qui doivent constituer son livre de chevet.

Le bon vieil hôtel en bois des prospecteurs et des aventuriers que nous avons connu a disparu. Reconstruit, agrandi, il offre désormais le confort moderne indispensable pour accueillir les nouveaux visiteurs du Grand Nord qui ont débarqué avec nous de l'avion : hommes d'affaires en vêtements sombres et faux cols, avec, sous le bras, l'inévitable porte-document, imbus de la gravité et de l'importance de leur fonction, n'ayant aucun regard pour tout ce qui les entoure. Que leur importent la forêt, les glaces, les fleuves, c'est le sous-sol qui compte, le pétrole, les minerais ; la spéculation est à son apogée, comme dans une nouvelle ruée vers l'or.

Il décolle et atterrit plus d'avions à l'heure à Yellowknife que sur n'importe quel terrain d'aviation moyen en Europe. Neuf sur dix sont des avions privés, loués, « chartés » comme on dit ici, par des compagnies, par des sociétés, et allant du petit « super-cub » monoplace au « Jet » moderne, qui, sous le nom américain de « Falcon », dissimule son origine française « mystérieuse ». A cette époque de l'année — nous sommes début mai — la plupart ont encore un train d'atterrissage mixte, roues et skis. Certains décollent vers l'archipel arctique et accompliront, en direction du pôle Nord, des vols invraisemblables, mais retrouveront, entre les 70e et 80e parallèles, des aérodromes modernes, les villes provisoires bâties sur la glace, comme Resolute où Melville. Les hélicoptères ronronnent sans arrêt. Les pétroliers sont partout, ils ont été partout dans le monde, et si l'on pouvait publier la somme de leurs recherches restées secrètes, la géographie moderne ferait des progrès sensationnels. Mais les pétroliers ne travaillent que pour le pétrole, ils sont ici chez eux comme à Java, au golfe Persique ou sur les hauts fonds des océans, un chez-soi provisoire. Un jour, un hélicoptère se pose sur le bush ou dans la montagne, dépose une petite équipe de techniciens ; on aménage rapidement une piste d'atterrissage, les ingénieurs de la « sismique » tracent leurs lignes régulières, puis tout est abandonné et l'équipe se transporte ailleurs. Très souvent les gens des postes n'ont même pas connaissance de leur passage. Les pétroliers ont été partout, même sur la haute Nahanni où leurs traces sont visibles, mais en dehors de leur travail — et quel que soit leur désir personnel d'aventure — ils obéissent à des règles strictes. Leur mission accomplie, ils s'en vont. Alors ces immenses territoires retournent à leur solitude millénaire, et les ours viennent fouiller dans les amas de boîtes de conserve, qu'ils savent ouvrir avec leurs griffes d'acier.

Il y a trois ans, Yellowknife, c'était encore l'antichambre de l'aventure ; ce n'est plus maintenant qu'une escale aérienne et la capitale des Territoires du Nord-Ouest, constitués depuis cette année en une province indépendante nantie d'un parlement et d'un haut-commissaire, l'honorable Mr. Hodgson, qui siège dans un building ultra-moderne, devant la « masse », royal symbole de son pouvoir et de l'allégeance toujours officielle à Sa Gracieuse Majesté la reine d'Angleterre. En vérité, la plus belle « masse » du monde, composée d'un os de narval torsadé, enrichie d'or, d'argent et de cuivre (symbole des précieuses richesses du Grand Nord), à la pomme recouverte de cuir d'élan, de fourrures précieuses, de trophées de bisons et de caribou ! Elle représente, pour celui qui la détient, le pouvoir de gouverner le plus récent des modernes Etats de la Confédération canadienne, un Etat à lui seul plus grand que l'Europe et dont la population sédentaire ne doit pas excéder plus de vingt-cinq mille Indiens et Eskimos, et quelque cinq mille administrateurs, policiers, missionnaires, fonctionnaires et commerçants. Tout le futur du Canada est là ! Plein de promesses et de richesses, car ces terres du Nord contiennent d'invraisemblables gisements de pétrole et leur exploitation pourra sans doute, conjointement avec le pétrole de l'Alaska mis en valeur par les Américains, faire contrepoids aux pétroles du Moyen-Orient !

Yellowknife renferme pour nous des souvenirs précieux, c'est là que nous avions rencontré le R. P. Marec, grâce à qui nous avions

24

pu vivre la chasse des Indiens de Snowdrift.

« Si le P. Marec est là, tout ira bien, dit Pierre. Téléphonons-lui. »

Le téléphone est la chose la plus réussie du Canada. Il fonctionne à merveille sur n'importe quelle distance. Nous appelons la « Roman Catholic Mission ». « Non ! le P. Marec n'est pas là, il accomplit un stage de prédicateur à New York ! » En moi-même je pense qu'il doit trouver l'épreuve pénible. Mais le P. Hellcoach, un ancien, le remplace. Allons le voir. Il nous accueille les bras ouverts.

« Que puis-je pour vous ?

— Voilà, mon père. Nous désirons visiter la Nahanni. »

Son front se rembrunit.

« Hum, je ne vous serai d'aucun secours. Il faudrait contacter le P. Pocet à Fort Simpson, mais tous les missionnaires sont en « convention » à Fort Smith ; d'ailleurs il n'y a qu'un homme qui pourrait vous aider : le P. Mary. *(Son visage s'éclaire d'un sourire malicieux.)* Mais voilà ! où peut-on le joindre ? Il n'est jamais chez lui, toujours en bateau sur la rivière, un véritable Indien. Si vous le trouvez je suis sûr que cela ira. Il connaît toutes les histoires de la Nahanni et il a un bon bateau ! »

Nous téléphonons protocolairement au Haut-Commissariat pour présenter nos devoirs à Mr. Hodgson. Le rendez-vous est pour le lendemain juste avant le départ de l'avion. En attendant, visitons Yellowknife.

Quelle déception ! C'est un vaste chantier qui masque bien des laideurs. Le flot des gens attirés par cette nouvelle ruée vers l'or noir a provoqué une surpopulation temporaire. Deux motels installés à la mode canadienne sont constitués par un assemblage de gigantesques caravanes mises bout à bout et dressées sur pilotis. Le quartier des Indiens est un véritable bidonville. Ses habitants, venus de la forêt, ont été attirés vers la ville comme les papillons par le clinquant des néons. Et maintenant ils attendent ! Avec la patience infinie des races qui attendent depuis des siècles. Regrettent-ils leur hutte de troncs d'arbres non équarris, leur tente en peau d'orignal ? Je ne sais. Ils sont là, un peu hébétés, silencieux, entourés par la ronde joyeuse des enfants qui jouent dans les immondices.

Les rues de Yellowknife se terminent sur le bush. C'est une limite infranchissable, en deçà la civilisation, au-delà la forêt et ses mystères, la traîtrise des marécages, la vie sauvage. Nous nous y enfonçons, Pierre et moi, avec satisfaction. Il y a trois ans tout était gelé. Notre premier contact à l'air libre avait été cruel, il faisait 38 degrés sous zéro et le blizzard soufflait de l'est. Nous avions dû rebrousser chemin, passer un parka sur nos anoraks, doubler notre coiffure et nos gants, mais la neige craquait merveilleusement sous

26

nos pas et nous portait à travers la forêt qui n'est plus maintenant qu'un sous-bois spongieux, où l'on enfonce parfois jusqu'aux genoux dans des mousses imbibées d'eau. Il faut sauter de rocher en rocher, contourner les obstacles. Mais à dix milles à la ronde on ne pourrait se perdre, chaque éminence découvre dans le lointain des constructions aberrantes, un pylône, une grue, un building.

Ptarmigan Bill, le pilote qui nous avait fait audacieusement traverser les « Barren Lands » en un vol de deux mille six cents kilomètres, est absent, mais son mécanicien nous reconnaît et nous serre la main avec une amitié non feinte. Le « boss » est en vol, pour le pétrole, naturellement. Il possède maintenant plusieurs avions, il a fondé sa ligne aérienne ; de « Bush Pilot », il est devenu chef d'entreprise.

Revenons à l'hôtel. Tout y est cloisonné selon le mode canadien. Il y a le snack-restaurant, où l'on mange rapidement et mal mais sans alcool, et le restaurant privé, d'un luxe clinquant, mal éclairé aux bougies (on dirait que les Canadiens fuient la lumière), où la nourriture est bonne. Son principal ornement reste toujours la gigantesque peau d'ours polaire tendue sur tout un panneau de la salle. Et puis il y a le « Cocktail Lounge », le bar où se rassemble toute la société de Yellowknife. Les quantités de bière qui s'y boivent feraient rougir de bonheur un brasseur munichois.

Si le restaurant est réservé à une clientèle sélectionnée, en revanche le snack et le bar sont ouverts à tous et leur clientèle est restée aussi pittoresque qu'autrefois. Le « Lounge » est un vrai bar de Western. Bien que la salle bénéficie de très belles ouvertures vitrées et qu'à cette époque de l'année le soleil brille jusqu'à onze heures du soir, elle reste constamment plongée dans la pénombre, faiblement éclairée par quelques lumières tamisées. Les peuples anglo-saxons n'aiment pas qu'on les voie boire de l'extérieur. C'est une atmosphère de caveau bien désagréable pour un Français ou un Latin.

Comme nous nous dirigeons vers le bar, voici qu'un Indien qui somnolait debout dans le hall de l'hôtel s'approche de moi, un sourire fendant sa large face boucanée.

Nous nous serrons les mains avec effusion, au grand étonnement des consommateurs présents. Joe Mitchell, le brillant chasseur de Snowdrift, notre ancien compagnon, est là, avec sa femme, avec son beau-frère, et nous allons arroser ça. Bien sûr, la conversation dévie tout de suite sur le terrible accident qui a causé la mort de Napoléon Mitchell, son jeune frère, le troubadour de notre expédition, et d'Henri Catholique, mon guide fidèle, frustre et dévoué. Joe nous décrit la mort de ses compagnons, en phrases simples, dans un anglais précaire.

« Le lac était en partie gelé (c'était à l'automne 1966), Nap et Henri étaient allés en canot à moteur relever des pièges dans l'île qui se trouve au large de Snowdrift. Le vent s'est levé, avec des vagues énormes, ils ont voulu accoster sur l'île, mais une lame a retourné le canot, dans moins d'un mètre d'eau. Henri est resté pris dessous. Nap s'est traîné sur la rive, il n'était plus qu'un bloc de glace, il a essayé de faire du feu pour se sécher, mais ses allumettes étaient mouillées. On l'a retrouvé, le bras vissé autour d'une épinette, il ne formait plus qu'un bloc dur comme la pierre ! »

Imprudence, fausse manœuvre, tout est possible dans cette histoire. Mais un fait demeure. Autrefois l'Indien, sur son canoë sans moteur, abordait prudemment les rivages, maintenant il sous-estime la force d'un moteur hors-bord, il n'a pas de mesure, la manette des gaz est toujours tirée à fond ; autrefois il disposait dans son canoë d'un sac étanche en peau de caribou dans lequel il mettait à l'abri de l'humidité l'amadou, le silex ; il pouvait toujours faire du feu. Mais nos allumettes modernes n'aiment pas l'humidité et les Indiens ont abandonné la pierre à briquet.

Nous évoquons très tard et avec mélancolie les jours heureux où nous allions de lac en lac à la poursuite des caribous.

« Pourquoi es-tu là, Joe ? As-tu fait bonne chasse ? »

Oui, il a fait bonne chasse, il a gagné beaucoup d'argent avec ses fourrures, puis il a tout dépensé sans mesure. Et maintenant il traîne dans Yellowknife à la recherche d'un travail, d'un engagement ; sa femme aide à la cuisine de l'hôtel. Une épave. Il paraît gêné, il me prend à part ; pourrais-je l'aider, lui consentir un petit prêt, il n'a plus un cent en poche ?

Bien sûr, cher Joe, en souvenir de notre amitié.

Il a empoché le gros billet que je lui ai donné avec un peu de vergogne.

« Je vous le rendrai, ce n'est qu'un prêt !

— Non, Joe ! C'est encore moi qui te dois beaucoup. »

Deux jours durant, Joe et sa femme n'ont pas quitté le bar, puis ils ont disparu, le billet était épuisé.

J'avais hésité un moment à lui proposer de m'accompagner vers la Nahanni, mais il ne m'aurait été d'aucun secours. Lui est un Chippewyan ; les Indiens vers qui nous allons sont des « Slaves », les dialectes des deux tribus sont différents et il existe entre elles un millénaire de luttes. C'est dommage, j'aurais bien aimé que Joe fût des nôtres.

Le haut-commissaire Hodgson nous a reçus avec courtoisie et simplicité, ce qui est chose courante au Canada. Déjà, à Ottawa, le ministre des Affaires indiennes, Mr. Chretien, nous avait réservé non pas une audience mais une conversation sans protocole, d'homme à homme, très enrichissante. Mr. Hodgson connaît à fond les Territoires du Nord. C'est un homme énergique. Il vient de prendre un décret pour supprimer les bidonvilles de Yellowknife et veut faire de sa nouvelle capitale une ville propre et prospère. Il a conscience de l'immense enrichissement que peut apporter au Canada la mise en valeur des Territoires du Nord. Son action désormais plus directe ne peut être qu'efficace. Pour nos projets il nous assure de la sympathie de ses services, mais lorsque nous évoquons la Nahanni, il nous met en garde !

« Attention, choisissez bien votre pilote ! La Nahanni ne pardonne pas ! Trois jeunes gens de Fort Smith ont trouvé la mort la semaine passée en survolant les « Virginia Falls ». »

Nous faisons un rapide calcul mental, cela porte à quarante-six les morts de la Nahanni... la rivière qui ne pardonne pas...

Ce soir-là, dans le confort absolu de notre chambre d'hôtel, nous avons longuement pensé à nos anciens compagnons de piste. La mort frappe vite, et durement, dans ces contrées. Napoléon Mitchell, Henri Catholique, morts de froid sur le Grand Lac ; Idlout, le terrible chasseur d'ours de Résolute, mort également victime du progrès. Il s'est enfoncé dans une crevasse de la banquise avec son skidoo, ce scooter des neiges : des chiens auraient passé ! Il y a aussi Pacôme, le chasseur de morses d'Igloolik, qui avait abandonné la chasse pour l'Administration. Sa joie était de conduire le snowbile de la Mission et de la Coopérative eskimo. Un jour la glace a cédé sous le poids du véhicule et Pacôme, qui croyait avoir trouvé la vie paisible d'un fonctionnaire, s'est noyé avec son engin. Dérision du sort !

II

INUVIK. LES PETROLES.
LE MACKENZIE

PIERRE et moi avons fait une dernière promenade en forêt ; nous aimons le calme millénaire de la forêt arctique, la respiration spongieuse de ses mousses, son silence parfois
troublé par des notes étranges comme celles
d'une musique sérielle, le bris cristallin de la
glace de nuit transmis en vibrations sonores
par les harpes de roseaux agités par les vents.
Silence et solitude ! Ici un squelette de chien
dévoré par un loup, ailleurs, couronnant une
roche polie, le plumetis blanc de centaines de
mouettes, s'envolant à notre approche dans
un strident et cacophonique appel de détresse.

Nous partons pour Inuvik ce soir à quinze
heures. L'avion est un « Javeline », le dernier
modèle des turboréacteurs. Trois heures suffi-
ront pour abattre deux mille kilomètres cap
au Nord, ce Grand Nord qui recule toujours
plus à mesure que nous gravissons les parallèles comme les barreaux d'une échelle. Notre
échelle de Jacob, sans doute !

Nous avons passé une partie de la nuit dans les pubs de Yellowknife. Outre le « Cocktail Lounge » du Grand Hôtel, il existe un autre bar, plus modeste mais combien plus intéressant par sa faune. Ici les équipes de relève des puits de mine, du pétrole, de l'or, viennent dépenser en quelques jours leur paie du mois. Ils boivent la bière par caisse entière et d'autorité la serveuse apporte à chacun deux bouteilles à la fois, c'est la ration minima. Mais leur langage est riche et haut en couleurs. Ils sont très liants, et somme toute notre accoutrement de bushmen nous rapproche d'eux. Ce qui les étonne c'est que nous ne soyons pas venus dans le Nord pour « faire du dollar » ; à l'exception des missionnaires, et peut-être de quelques administrateurs considérant leur travail comme une mission, personne ne monte dans le Grand Nord pour son plaisir. La plupart sont ici parce que les salaires sont doublés ou triplés par rapport au Sud, et aussi, bien qu'ils ne l'avouent pas, parce qu'on n'y est pas exigeant sur la main-d'œuvre. Les ouvriers qualifiés sont rares. Ils touchent des salaires qu'envieraient beaucoup de nos cadres. Travailler, amasser de l'argent et redescendre vers l'enchantement des grandes villes. Voilà leur rêve. Il se réaliserait sans doute s'il n'y avait l'alcool, qui ronge leurs économies régulièrement et les renvoie *ad patres*, à la mine ou au chantier !

Nous avons également parcouru le journal

local. Il relate l'événement du jour. Après trois jours de recherches la « M.P. » a retrouvé un assassin qui avait pris le « bush », on dirait chez nous le maquis. C'était un Indien de la tribu des « Dogs-Ribs », pas plus mauvais qu'un autre, qui, au cours d'une rixe, avait tué un autre Indien de la tribu des Slaves, rixe après boire, règlement de comptes ? La chose est courante. Mais le meurtrier avait pris la forêt, voulant échapper aussi bien à la « Police montée », la « M.P. », qu'aux frères de tribu de sa victime. Il avait erré pendant trois jours sans ressource, sans nourriture, sans pouvoir s'éloigner beaucoup de Yellowknife, et l'on avait lancé à sa poursuite policiers et chiens sans résultat. Mais un soir un avion de la Police montée avait repéré sur une île déserte une légère fumée. Pour sécher ses vêtements trempés par une pluie glaciale, l'homme avait commis l'erreur de faire du feu. Dès lors il était facile de cerner l'île et de le capturer. Il sera jugé et condamné à une peine légère. Des avocats tâcheront d'expliquer son comportement qui n'est pas le nôtre. Pour l'Indien comme pour l'Eskimo, le meurtre est moins grave que le vol d'objets indispensables à la survie dans ces Territoires du Nord.

Un arrêt faisant jurisprudence vient de claquer comme un coup de tonnerre sur les Territoires du Nord. Un Indien de Yellow-knife, pris de boisson, avait causé du scandale dans le « Cocktail Lounge » et la M.P.

vint l'arrêter. Traduit devant le tribunal, il fut condamné à une lourde peine, non pour délit d'ivresse publique (la loi est la même pour les Blancs et les Indiens et, dans ce cas, la peine eût été bénigne, une simple amende sans doute puisqu'il n'y avait eu que scandale) mais pour avoir consommé de l'alcool en dehors de sa « réserve ». Ce jugement, prononcé dans le Sud, avait suscité l'intérêt d'un jeune et brillant avocat, qui flaira tout de suite l'erreur judiciaire. Il n'y a pas de « réserves » dans les Territoires du Nord. Indiens et Eskimos y sont chez eux, par conséquent le délinquant ne pouvait avoir commis d'autre délit que tapage et ivresse publique. D'appel en appel, et en cassation, la Cour suprême vient de casser le jugement. Une grande victoire pour le droit criminel mais aussi pour le droit humain. A l'honneur des juges qui ont reconnu la faute. L'Indien en question est devenu en quelque sorte le symbole de liberté et d'égalité pour tous les « non-Blancs » du Grand Nord.

L'Indien sait parfaitement quels sont ses droits, et le moment venu il saura les faire respecter. Il aura en tout cas la franchise de dire ce qu'il pense, ce qui n'est pas le cas des Eskimos. S'il se considère spolié sur la terre de ses ancêtres, il a conscience de sa faiblesse numérique et cherchera avant tout un compromis. Son cas ne peut être comparé à aucun des peuples colonisés, où une poignée de Blancs imposaient par la force leurs droits et coutumes à des populations dix fois, cent fois supérieures en nombre! Ici c'est le cas contraire : dix-neuf millions de Blancs contre quelques dizaines de milliers d'Indiens ou d'Eskimos. La partie n'est pas égale. Pour le moment l'Indien doit tout aux Blancs, et dans le cas des Territoires du Nord, l'indigène règne incontestablement sur son pays. J'irais même jusqu'à dire que, dans la forêt arctique comme sur les glaces de l'archipel, le Blanc est devenu le serviteur de l'Indien ou de l'Eskimo !

Puis-je citer ce trait d'esprit de l'Indien ? « Gros-Louis » est un Indien, chef d'une réserve de la province de Québec, et grand revendicateur. N'a-t-il pas réclamé publiquement la restitution de tout le Canada aux Indiens, seuls occupants légitimes ; convoqué pour une discussion amicale avec l'un des grands hommes politiques du Canada français, qui lui posait avec ironie cette question : « Gros-Louis, vous réclamez le Canada, admettons ! Mais que ferez-vous des Blancs ? », il répondit finement : « Nous les mettrons dans des réserves. »

Ceci n'est pas un dialogue de western, mais le fait authentique s'est passé il y a un an au Québec. Il traduit bien la finesse de pensée et le sens de repartie de l'Indien. On ne pouvait dire plus, en si peu de mots, tout en fumant le calumet de la paix !

L'avion n'est pas parti à quinze heures, nous

avons attendu tout l'après-midi dans la salle bondée de l'aéroport, où, d'heure en heure, on nous annonçait un nouveau retard. Et, durant ce temps, sans arrêt des voyageurs arrivaient, repartaient, pour des destinations fabuleuses, pour des bases, des postes, ou des villes non portées sur les cartes, dont le moindre éloignement dépassait les deux mille kilomètres. Des liaisons à l'échelle de ce gigantesque pays.

Vers vingt heures, le porte-parole de la Compagnie nous annonça que le voyage était renvoyé au lendemain. Le Grand Hôtel étant bondé, nous passâmes la nuit dans un des motels-caravanes installés depuis peu, surpris favorablement d'ailleurs d'y trouver des cabines confortables avec douches. Jean Sirgue, jeune Français pilote d'hélicoptère, qui allait prendre son poste à Inuvik, se joignit à notre compagnie et nous lui fîmes une fois de plus les honneurs de la vie nocturne, dans les bars du pays. Ce jeune homme a « fait » l'Algérie, puis, la guerre terminée, la France s'est trouvée avec une surabondance de pilotes d'hélicoptères bien entraînés dont beaucoup émigrèrent. Lui est au Canada, d'autres en Indonésie, en Afrique ; partout ils sont recherchés pour leur science de pilotage de l'Alouette III, ce merveilleux engin. Mais notre jeune ami est pessimiste. Il nous le dit sans ambages :

« On réclame de partout des Alouette III ; or, le seul revendeur en Amérique du Nord est curieusement un vendeur d'hélicoptères américains. Il freine le marché. Le plus grave, c'est que la France livre des hélicoptères sans assurer l'après-vente. La compagnie qui m'emploie n'avait que des Alouette III, elle n'en a bientôt plus car elle est obligée de remplacer les pièces usées en les prenant sur des appareils en service. »

Il est amer. Cela se comprend. Il rentre de congé et doit travailler pour un groupe français dès son arrivée dans le delta du Mackenzie. Il nous conte la vie de ces postes de recherches ambulants qu'il dessert et ravitaille.

« Leur plus grosse difficulté vient des ours. Sans parler des grizzlies, qui sont rares et dangereux, le bush est rempli d'ours noirs, qu'on dit inoffensifs mais qui peuvent être très gênants, car l'ours est l'être le plus curieux au monde. Il a un flair remarquable et décèle la nourriture à l'intérieur des boîtes de conserves. Presque tous les chercheurs ont connu ce genre d'alerte : les ours attaquent le camp pour manger, ils saccagent tout, éventrent les caisses, font un gâchis considérable. Les tuer, c'est prendre un grand risque car un ours blessé ne pardonne pas. Quand l'hélicoptère est là, la seule ressource est de monter à bord et de les faire fuir en faisant du vol stationnaire au-dessus du camp. Ce sont là les petits ennuis de la vie du bush. »

L'avion est parti avec vingt-cinq heures de

retard, mais tout se passe bien. Le commandant de bord, un homme charmant, s'excuse auprès de moi : « Il valait mieux réparer à Yellowknife que d'avoir la panne à Norman Wells ou à Good Hope. Là-haut, on aurait pu attendre une semaine. » Nous l'approuvons pleinement. Sous ces latitudes le temps ne compte plus.

Le mauvais temps s'étale uniformément sur la grande forêt et ses lacs, quelques trouées dans le plafond uniforme des nuages permettent de distinguer des lambeaux de paysage. Quarante minutes de vol se sont à peine écoulées lorsque commence la descente. Nous allons atterrir à Fort Simpson, au confluent du Mackenzie et de la rivière Liard. La percée des nuages dure peu, bientôt l'avion sort dans la lumière grise des basses altitudes et le Mackenzie apparaît, gigantesque en ses méandres entièrement pris par les glaces. Nous franchissons la rivière Liard au ras des berges et nous nous posons sur un terrain défriché dans une très belle forêt de spruces et de peupliers aux dimensions énormes. La piste est en terre battue, mais d'une longueur suffisante, l'aéroport des plus simples : une cabane en bois, deux gros réservoirs à carburants. C'est tout. On décharge une partie de la cargaison, on repart, vingt minutes se sont écoulées. Cette fois l'avion met cap au nord-ouest, il ne quittera plus la vallée du Mackenzie. Le paysage est très beau. Vers l'ouest à quelque cent milles la chaîne des Rocheuses scintille de toutes ses neiges, une immense forêt extrêmement serrée coule jusqu'au fleuve et celui-ci se faufile à travers les arbres, s'épanouissant en plusieurs bras, enserrant des îles, puis tout à coup gonflant ses glaces dans des gorges. Encore un atterrissage, Norman Wells, un aérodrome privé, une ville privée — Fort Norman se trouve plus au sud — au bord du grand fleuve. Là jaillissent les premiers puits de pétrole du Grand Nord. Norman Wells appartient entièrement à la Compagnie « Esso », elle y règne en souveraine, elle y a tout construit ; ne s'y posent que les techniciens et les employés du pétrole ; le commandant en profite pour y faire le plein des réservoirs, car évidemment le carburant pris à sa source coûte moins cher. Mais ce pétrole il faut l'évacuer, et le Mackenzie ne coule que vers le nord et l'océan Glacial, et les premières péniches ne pourront descendre le fleuve qu'à la fin mai, si le dégel est normal et si les eaux sont hautes. Vers le sud, la route s'arrête mille kilomètres plus bas, à Hay River. A vrai dire, le pétrole de Norman Wells ne peut être évacué que durant deux mois d'été quand tout se passe bien.

Que fera-t-on pour évacuer les pétroles de l'archipel arctique ? Les îles de Banks, Melville, Mackenzie King sont constamment prises dans les glaces de la banquise. Un pipeline pourrait être posé au fond de la mer, mais sur quoi asseoir les indispensables stations de pompage ? Problème technique qui sera résolu un jour ou l'autre par les progrès de la science.

Une compagnie pétrolière américaine a tenté, l'été 1969, une très grande expérience. Certains ont même voulu la comparer à une aventure spatiale ! Il s'agissait de franchir le Passage du Nord-Ouest avec un pétrolier géant de cent mille tonnes battant pavillon des Etats-Unis, le *Manhattan*, dont la coque avait été renforcée, l'étrave modifiée et transformée en brise-glace. J'étais à Québec en mars 1969 lorsque les premiers préparatifs de ce raid commencèrent ; j'ai vu appareiller sur le Saint-Laurent la flottille de brise-glace canadiens chargés d'escorter le géant et de lui ouvrir la voie. Par la suite un brise-glace américain, une escadrille d'hélicoptères, des avions complétèrent l'expédition.

Moyens gigantesques à l'échelle du monde moderne.

Le *Manhattan* disposait des instruments de détection les plus précis : radars, sonars, etc., et ses deux châteaux renfermaient un véritable laboratoire scientifique. Pourtant, le trajet qu'il voulait accomplir, dix hommes l'avaient fait soixante-dix ans auparavant. En 1903, Amundsen quittait l'Alaska à bord d'un minuscule cotre de dix tonneaux, la *Gjoa*. Ses neuf compagnons étaient tous des explorateurs aguerris. Après trois ans et deux hivernages,

42

Amundsen réalisait l'impossible exploit qui avait coûté la vie, au siècle dernier, aux trois cents compagnons de l'expédition Franklin. Il fallut attendre ces toutes dernières années pour qu'un brise-glace canadien, moderne et puissant, renouvelle cet exploit. Entre le voyage de la *Gjoa*, le cotre d'Amundsen, et celui du *Manhattan*, la différence est aussi évidente qu'entre la découverte du pôle Nord en traîneaux à chiens par Peary en 1906, et le voyage du sous-marin atomique *Nautilus* : aucune comparaison n'est possible. L'exploit d'Amundsen était un exploit d'hommes isolés, celui du *Manhattan* consacre tout ce que la science et la technique moderne peuvent apporter à la connaissance humaine.

On sait que le *Manhattan*, parti au mois d'août, trouva une mer relativement libre de glaces jusqu'à Resolute, au 75e parallèle, dans le détroit de Barrow. Par la suite, il s'engagea dans le détroit de Melville et rencontra un « pack » très sérieux mais sa puissance et son poids lui permirent de le briser. Les hélicoptères tournoyant comme des mouches dans un rayon de cinquante kilomètres autour du navire l'éclairaient de façon précise sur les emplacements d'eaux libres, les chenaux navigables qui changent au gré des courants et des marées.

S'il y avait un risque pour le navire, l'équipage et les passagers, eux, pouvaient à tout moment être secourus ; ils vivaient à bord dans des conditions de confort exceptionnelles. Ils n'étaient plus livrés comme Amundsen et ses compagnons au froid et à la famine ! Par contre le travail des hélicoptères s'avéra très périlleux et on eut à déplorer des accidents. Les choses se gâtèrent lorsque le *Manhattan*, voulant gagner la mer de Beaufort à l'ouest de l'archipel arctique, emprunta le détroit de McLure, entre les îles Melville et Banks, celles-là mêmes où se font actuellement les plus importants sondages. Coincé dans un « pack » de plusieurs mètres d'épaisseur il dut faire appel aux brise-glace canadiens pour se dégager, puis, faisant demi-tour, il s'engagea au sud dans le détroit du Prince de Galles, entre les îles Banks et Victoria, réussit à gagner le golfe d'Amundsen et retrouva la mer libre qui lui permettrait, en longeant les côtes nord de l'Alaska, de gagner le point prévu. Le voyage d'aller avait été réussi, le Passage du Nord-Ouest était de nouveau forcé avec des moyens gigantesques.

Pour établir une ligne maritime régulière, il faut non seulement aller mais aussi *revenir* et ce dans un délai très court : août et septembre ; après cette date les navires risquent, malgré leur puissance, d'être définitivement pris par les glaces et obligés d'hiverner. Certaines années favorables, un navire comme le *Manhattan* pourra renouveler son exploit, mais il risque aussi de rester bloqué un an sans pouvoir se dégager. Et dans ce cas les coques les plus solides peuvent être broyées comme un rien, surtout lorsque leur énorme longueur — trois cents mètres pour le *Manhattan* — accentue le risque de cassure du navire.

On a parlé aussi de sous-marins atomiques, d'avions citernes géants, solutions coûteuses mais plausibles.

Toutes ces pensées nous ont fait oublier le paysage, et voici qu'à travers les hublots un monde nouveau apparaît. Nous avons franchi le cercle polaire à Good Hope, et maintenant nous volons à moyenne altitude au-dessus de la taïga d'épinettes, encore recouverte des neiges de l'hiver. Mais quel n'est pas mon étonnement de constater l'abondance de la végétation à des latitudes aussi élevées ! Si le peuplier a pratiquement disparu pour faire place au spruce et au bouleau, les arbres sont encore de grande taille et les bois particulièrement touffus. La forêt est beaucoup plus importante ici que sur la rive nord et est du Lac des Esclaves, mille kilomètres plus au sud. Cette « Tree Line », cette ligne des arbres des géographes, révèle à elle seule le climat du Canada. Ici, à moins de cent kilomètres de l'Océan polaire, la forêt est encore dense. Elle ne disparaît qu'avec l'altitude ; deux cents mètres en altitude suffisent pour rétablir le climat polaire, alors que toute la plaine, toute l'immense vallée du Mackenzie n'est qu'une vaste, magnifique et impénétrable forêt.

La ligne des arbres coupe en diagonale le Canada du delta du Mackenzie au sud de la Baie d'Hudson. Les rivages de celle-ci, tout le Labrador, les quatre cinquièmes de la province de Québec, sont des terres aussi arides et aussi froides que celles que nous survolons, et le District de Keewatin est occupé tout comme l'archipel arctique par les « Barren Lands », les terres stériles où la terre ne dégèle jamais en profondeur. Pour comprendre le Canada avec ses dimensions qui en font la deuxième puissance territoriale du monde (10 millions de km^2) il faut constamment songer à son climat, l'un des plus rigoureux de la Terre.

C'est pourquoi je considère cette avancée de la végétation jusqu'aux toundras glacées qui bordent la mer de Beaufort, comme une oasis extraordinaire, vide, à peine peuplée, le plus grand désert humain de la Terre.

Je chercherai vainement Inuvik dans le paysage, nous sommes trop bas, le « Javeline » prend son terrain, les arbres se rapprochent, grandissent, on éprouve cette curieuse impression de se poser sur une forêt, puis brusquement la bande d'atterrissage apparaît, ligne droite parfaite tirée dans la direction des vents réguliers, images de brousse comme j'en ai connues en Afrique. C'est un paysage de Laponie, ou plutôt de Finlande septentrionale avec des mamelons rocheux, des cuvettes lacustres miroitant sur la rive droite du fleuve aux méandres nonchalants ; la forêt compacte s'élève lentement dans une vaste conque jusqu'aux premiers chaînons des Rocheuses de l'Arctique ; au nord c'est la confusion des brumes, de la toundra et de la mer gelée, et partout ce scintillement des glaces sous les rayons obliques du soleil couchant.

Sur le terrain, grande animation d'hélicoptères, d'avions légers, roulant au sol en évitant les stocks de caisses, les piles bien rangées des bidons de carburants. Inuvik est la dernière grande escale avant le Pôle. Yellowknife était en quelque sorte la gare aérienne de triage ; ici on décharge les gros avions pour empiler les cargaisons à la limite de charge dans des D.C.3, des « Beechcrafts » ou des « Beavers » sur skis. Les bâtiments de l'aéroport sont nets et bien conditionnés ; dehors la température est fraîche, sans plus : à peine — 10 degrés. Sitôt débarqué de l'avion, Sirgue, le pilote d'hélicoptère, nous fait ses adieux. Il repart sur-le-champ, malgré la fatigue d'un voyage aérien de plusieurs jours ; il est vingt et une heures, mais ici le jour est permanent et la notion horaire ne compte plus. Pour lui, c'est normal :

« Ce retard de vingt-quatre heures ne fait pas l'affaire de la Compagnie, je dois transporter sur un point de sismiques, à 200 miles d'ici, trois ingénieurs. Le temps de chauffer l'hélico et en route. Si vous êtes encore là quand je reviendrai nous nous retrouverons au « Zoo » !

Il est déjà loin. Que veut-il dire avec son Zoo ?

Quelqu'un m'interpelle :

« *Mr. Frison-Roche, I presume ?* »

Un solide et souriant gaillard est devant moi. Il utilise pour se présenter, sans le savoir, la phrase célèbre que prononça Stanley lorsqu'il retrouva sur les rives du Tanganyika l'explorateur Livingstone disparu depuis des années au cœur de l'Afrique.

« *Yes Sir*, dis-je, *and here is Pierre Tairraz my friend.*

— *O.K. My name is Wilson George Wilson. Mr. Grosset told me you were coming !* »

Tout s'arrange. Maréchal a tenu parole, nous sommes attendus, le voyage au Pôle devient une réalité. Pas encore. Wilson sourit :

« Vous ne partirez pas demain, le D.C.3 est en panne. On fait venir les pièces pour réparer le train d'atterrissage. Mais qu'importe ! je vous conduis en ville. Allons boire un pot au Zoo. »

Il y a une vingtaine de kilomètres du terrain à Inuvik, la piste en terre sèche louvoie entre les roches, les lacs, la forêt, puis sans transition pénètre dans Inuvik. Nous attendions je ne sais quoi, une petite agglomération de cabanes en bois, de hangars, de bâtiments, que sais-je ? Ce que représente généralement un village du Nord. Inuvik est une ville en réduction mais une ville. Nous y pénétrons par le côté résidentiel, une large avenue bordée de maisons modernes à deux étages, aux toits pentus, aux murs peints de couleurs vives et gaies, bleues, rouges, orange, vertes, une ville norvégienne ! Et n'eussent été la saison, la neige sale, la boue du dégel, nous eussions trouvé à ce quartier qui doit être, l'été, entouré de pelouses vertes très britanniques, un air de gaieté et de confort. Pourtant d'énormes canalisations recouvertes d'une protection de tôle brillante, longent les côtés de la route, se ramifient en canalisations secondaires, chacune d'elles aboutissant à un bâtiment. Elles sont placées à plus d'un mètre au-dessus du sol, et pour franchir ce réseau la route n'est qu'une succession de dos d'âne, de ponceaux et pour le piéton d'escaliers. Wilson nous explique :

« Inuvik est une ville moderne, entièrement créée pour les besoins de la cause. Il n'y avait rien ici il y a dix ans. Mais malheureusement le sol est instable, soumis au « permafrost », toutes les constructions sont faites sur pilotis. Aucune canalisation souterraine n'est possible. La terre gelée profondément ne dégèle qu'en surface et alors tout s'effondre. » Ces conduites apportent à chaque maison l'eau chaude et le chauffage central. Le tout est produit pour toute la ville par une centrale thermique située au bord du Mackenzie. C'est un confort extraordinaire pour un pays où, l'hiver, le thermomètre descend régulièrement et se maintient plusieurs mois entre moins cinquante et moins soixante degrés centigrades ! »

Ville moderne, conçue pour le froid, accueillant la population blanche d'Inuvik, l'une des plus importantes du Grand Nord.

Sur la place, la plus vieille construction est l'hôtel, tenu par une famille grecque qui a apporté avec elle l'exubérance et le laisser-aller méditerranéens. Le propriétaire n'est autre que l'homme qui faisait scandale hier soir à l'aéroport. Sa présence ici semble épisodique ; il ne vient du Sud que pour ramasser la caisse et repartir, il déteste le Nord mais il a pour l'argent une sorte de dévotion qui se sent jusque dans les prix qu'il pratique. Il faut reconnaître que tout ici est importé, tout vient du Sud, tout est cher, seuls les ravitaillements lourds et non périssables peuvent arriver ici par chaland lorsque le Mackenzie est dégelé. On nous entasse dans une chambre où séjournent déjà deux Français. Ils viennent d'arriver de Mackenzie King à bord du D.C.3 qui a eu son train d'atterrissage faussé. Ils devront rester ici deux jours, car le courrier régulier n'est que bihebdomadaire. Ici il fait froid, le temps est épouvantable, et ils n'aspirent qu'à une chose, regagner Calgary.

Ce qui frappe l'esprit c'est tout d'abord la disproportion entre les bâtiments officiels de la ville et la petitesse de celle-ci. Un grand village avec des édifices publics énormes ; le collège « Sir Mackenzie » allonge ses construc-

tions et ses salles de conférence sur plus de
deux cents mètres, il est entouré de terrains
de sports, et mixte comme partout au Canada,
mais deux grands « Hostels » recueillent les
pensionnaires. L'un est dirigé par les Pères
oblats de M.I., il abrite les Eskimos et les
Indiens de religion catholique ; l'autre recueille
les pensionnaires de confession anglicane. Un
magnifique hôpital, une bibliothèque complètent cet ensemble. On n'en trouverait l'équi-
valent dans aucune ville française de trente
mille habitants. Il souligne l'effort considérable
entrepris par le gouvernement canadien pour
scolariser et éduquer les indigènes. Les élèves,
qui jouissent d'une liberté absolue, y goûtent
un confort parfait, une nourriture abondante.
Les jeunes filles eskimos ou indiennes, ou,
pour la plupart, métisses des deux races, portent des mini-jupes très osées ; les garçons les
survêtements de sport, le maillot à l'écusson
de leur université, la casquette de baseball.
Ils sont heureux, ils ont tout ce qu'offre le
progrès, plus même que n'en pourrait avoir
un individu fortuné s'il se trouvait seul dans
ce pays. Cependant leur plus cher désir, la
saison scolaire achevée, est de repartir vers
leur village indien ou eskimo, regagner la
toundra, ou la hutte enfumée du bush, s'enfoncer à nouveau dans leur vieille civilisation du
froid. Seulement ils y retournent poussés par
un vieil atavisme mais avec des idées nouvelles
de confort, un goût de ce luxe acquis sans

peine et qu'ils ne peuvent pas conserver. On leur a tout appris, sauf que rien sur terre ne s'obtient sans travail. Et quel travail leur donne-t-on ? Ceux qui vivent à Inuvik gagnent assez facilement de l'argent : les banques, les agences, les compagnies emploient les plus instruits, Inuvik tout entière ne vit que par l'Administration ou presque. Mais cela ne fait pas beaucoup de monde.

Le quartier eskimo situé au nord de la ville est assez remarquablement tenu, beaucoup plus propre que le village indien de Yellowknife. Mais sont-ce là de vrais Eskimos ? La plupart sont des métis. Par le fait même que la forêt remonte jusqu'au delta, l'habitat de l'Indien rejoint ici celui des Eskimos de la côte. Il y a des mélanges, et des mélanges heureux ; je n'ai jamais vu d'Eskimos aussi grands, aussi forts qu'à Inuvik. Mais si leur visage était mongol, leur stature était indienne, grande, élancée, leur démarche avait une souplesse comparable à celle du fauve de la brousse, et non le dandinement des Inuit.

Le Mackenzie qui coule à l'ouest d'Inuvik constitue encore une barrière entre deux civilisations. Rien à Inuvik ne peut rappeler un centre eskimo ou indien. Les indigènes qui y vivent ont délibérément adopté le costume et le mode de vie des Canadiens, mais de l'autre côté de la branche principale du fleuve s'étend l'immense marécage du delta et là, au cœur des bouches du Mackenzie, Aklavik, la vieille agglomération eskimo, restée pratiquement intacte à l'écart de tout le mouvement moderne concentré sur Inuvik. Inuvik ne serait-elle qu'un abcès de fixation ? Il y a aussi Tuktuya-tuk, sur la côte, autre village de pêcheurs et de chasseurs de baleines et de morses, l'une de ces petites agglomérations typiquement calquées sur les anciennes missions catholiques d'Igloolik, de Sachs Harbour ou de Melville ; autrefois village d'igloos, maintenant petites cités de baraquements préfabriqués couverts de tôles...

Nous aurions aimé visiter le delta du Mackenzie, mais nous sommes liés à Inuvik par l'attente de notre avion. Aucun horaire, aucune date ne sont fixés ! Peut-être demain, peut-être dans huit jours ? Cela dépend du temps, de la mécanique, et des hommes... Mais il faut être prêt à partir dans la minute qui suit si d'aventure un avion non prévu venait d'atterrir et repartait vers le Nord.

Nous sommes arrivés un vendredi. Le vendredi soir est le jour des libations communes dans tout le Canada. Réunions, conventions, fêtes se tiennent de préférence le vendredi, encore le samedi, mais jamais le dimanche soir. Le vendredi le « Liquor's Shore », la boutique des alcools de la régie canadienne fait des affaires d'or. Vous pouvez y acheter ce que vous voulez, vous remplissez une fiche, vous signez, vous payez et vous emportez. On boit énormément dans ces réunions et surtout sans discernement. On boit pour boire, pour échapper à l'ennui d'une vie parfaite, jusqu'à sombrer dans l'ivresse la plus complète. La nuit du vendredi est toujours bruyante, les retours en voiture difficiles, mais fort heureusement, même dans son ivresse le Canadien reste discipliné. Il sait ce que lui coûterait un accident d'auto provoqué par l'abus de l'alcool. Parfois, comme je l'ai vu en Scandinavie, un invité se dévoue pour ne boire que de l'eau : il sera chargé de raccompagner chez eux ses gais compagnons. Il y a mieux. Il est courant à Calgary à la fin d'une « partie » d'appeler la police :

« Allô, je suis monsieur Untel, tel numéro, telle rue, je suis incapable de rentrer chez moi, pouvez-vous me faire reconduire à mon domicile ? »

La police prend en charge l'intempérant, un policier le reconduit à son domicile et pousse la complaisance jusqu'à lui ouvrir sa propre porte lorsque manifestement le trou de la serrure devient difficile à repérer, puis le serviteur de l'ordre prend congé de son client en le félicitant. Usage judicieux du panier à salade !

Il y a deux nuits à Inuvik : la nuit des gens bien, qui boivent chez eux, ou dans le salon privé de l'hôtel ; la nuit des habitués du « Zoo », le bar ouvert à tous et qui ne sert que de la bière en boîte. Indiens, Eskimos, prospecteurs, petits Blancs y boivent jusqu'à plus soif ; spectacle attristant que de voir les indigènes, jeunes ou vieux, jeunes gens et jeunes filles, ivres vingt-quatre heures sur vingt-quatre, jusqu'à épuisement total de leurs dollars. Tant qu'il n'y a pas scandale ou rixe l'Administration ferme les yeux. De tous les droits conquis sur les Blancs, l'usage de l'alcool est certainement celui qui coûtera le plus cher à l'Indien ou à l'Eskimo. Il signifie pratiquement l'extinction de ses qualités premières sinon de sa race.

Wilson nous a fait rencontrer au bar un personnage légendaire du Grand Nord, Phil Tafi, « le prospecteur d'or » par excellence. Avec son long visage glabre taillé au couteau, son crâne chauve, maigre et grand comme un jour sans pain, sans âge malgré la septentaine, avec ça sourd comme un pot, mais le regard malicieux, c'est un être exceptionnel. De l'or, il en cherche depuis toujours. Il a sans doute remonté au fil de sa vie vers le Nord suivant le courant du grand fleuve, et arrivé ici il n'a pas pu aller plus loin. Il n'y avait plus que la banquise et l'océan polaire.

« *Come on ! Phil*, dit Wilson, *I pay you a drink.* »

Il ne se fait pas prier. Un peut méfiant au début :

« *Frenchmen ? Well ! Good !* »

Il nous explique qu'il est d'origine galloise, celte comme les Bretons et crache sur tout ce qui est anglais, à la joie non dissimulée de

George Wilson, l'Irlandais. Il nous considère comme des compatriotes. Peu à peu il dévide son histoire. Ici tout le monde la connaît, mais il la recommence sans cesse pour qu'on lui paie à boire. Il a trouvé de l'or, parfois beaucoup, mais chaque fois qu'il est revenu dans un centre, il a tout perdu... le jeu, la boisson. Image éternelle du Juif errant, il repart. Maintenant il va où les autres ne vont plus. Quand la banquise disparaît pour quelques semaines, il s'embarque sur un canot eskimo avec son chien, des vivres, la pioche, le pic, la pelle et la battée. Il se fait déposer sur « ses » îles : les îles Herschel, un récif au large de la côte, tout près de la frontière de l'Alaska. C'est son royaume. Arrivé là, il creuse, il creuse, il lave sa maigre récolte, et parfois l'hiver le surprend. Alors, comme cela lui est arrivé plusieurs fois, si aucun Eskimo ne vient le rechercher, il hiverne dans une cabane faite d'épaves, avec, pour subsister, le produit d'une chasse précaire. C'est là qu'il a perdu tous ses cheveux. Quand il revient, le fruit de ses recherches ne représente même pas ce qu'il aurait pu gagner par un petit travail bien tranquille dans un dock ou un entrepôt. Il s'empresse de le boire intégralement, puis il retourne au « Zoo » sans argent, vivant, ou plutôt buvant, de son récit pittoresque sans cesse recommencé.

Par lui nous apprendrons qu'il existait autrefois, aux îles Herschel, un centre d'hivernage pour les baleiniers de la mer de Beaufort, qu'il s'y trouve encore de nombreuses épaves et les traces d'un habitat eskimo du début du siècle. « Mais, dit-il, de temps à autre un pilote d'hélicoptère qui a eu vent de la chose s'y pose et ramasse des objets précieux : des ivoires de morse, des lampes à huile de phoque, des harpons, tout un outillage de l'âge du renne. »

Tafi est intarissable, et l'on s'explique mal sa maigreur en voyant la quantité de doubles bières qu'il est capable d'ingurgiter. Mais c'est un être charmant, courtois, non violent, et on l'imagine assez se faisant ratisser dans un tripot et prenant son malheur avec philosophie. Sa vie est là-bas, aux îles abandonnées cernées par les glaces. Sa lumière vient du Nord. Tafi est somme toute un homme heureux.

« Vous repartez bientôt, Tafi ?

— *As soon as possible ! I'm waiting for a boat !*

— Good Luck ! »

Lorsqu'on sort de cet antre sombre consacré à la boisson et qu'on est frappé en plein visage par l'ardente luminosité arctique on se prend à songer devant la majesté monumentale des écoles, des hôpitaux et des collèges, à la vanité des efforts généreux faits par le Canada pour élever Indiens et Eskimos, tant que subsisteront ces usines à bière où s'avachit la conscience humaine. Pourtant cette petite ville moderne, techniquement parfaite, adaptée au climat, avec ses intérieurs confortables où chacun peut mener la même vie qu'à Edmonton ou

57

Calgary, promettait beaucoup. L'isolement, la rigueur de l'hiver sont autant d'excuses. Il faut une grande dose de volonté pour ne pas se laisser aller à l'alcool, la seule distraction de l'endroit, le seul dérivatif, pourrait-on dire. Seuls y échappent ceux qui sont montés là-haut avec leurs familles et leurs enfants ; malheur au célibataire, à l'isolé qui tôt ou tard prendra la direction du Zoo.

Nous avons beaucoup marché durant cette semaine d'attente inutile en quête d'un avion pour le Nord. Nos promenades ne nous permettaient pas de nous éloigner beaucoup. Un essai en forêt où la taïga était en plein dégel nous a vite fait comprendre l'impossibilité de s'y aventurer à cette époque de l'année. Alors nous sommes allés flâner sur les rives gelées du grand fleuve. Quelques mètres d'eau libre séparent la berge du centre de la rivière encore prise par les glaces et des Eskimos y vont et viennent à bord de leurs canots pour transporter sur la glace solide le chargement des traîneaux. Ils se rendent à Aklavik. Leurs attelages de chiens couchés sur la neige se lèvent parfois d'un bond pour hurler ou japper joyeusement. Les longues traînes sont chargées, l'homme lance un appel bref, les chiens trottent joyeusement, traversent le fleuve vers l'ouest, s'enfoncent dans le delta, disparaissent dans la taïga clairsemée. Ces derniers Eskimos sont des sages. Il me semble, en les voyant s'éloigner au trot de leurs chiens, qu'ils viennent d'échapper à un grave danger. Et pourtant, en toute logique, leur chemin devrait être inversé ; c'est des villages d'igloos, des huttes isolées du bush, qu'ils devraient converger vers la cité radieuse ! Ceux que j'ai vus la regardaient avec dédain. Leurs achats faits dans les comptoirs et magasins, ils repartaient silencieux, souriants, sans jeter un regard en arrière. Des sages, oui, vraiment.

Le samedi, le D.C.3 n'est pas réparé. Le courrier régulier n'a pas apporté les pièces. Il n'y aura rien avant mardi prochain. Le dimanche matin, Grosset vient nous rendre visite en coup de vent. Un avion s'est posé, bourré de matériel à destination de Mackenzie King.

« Je ne peux pas vous prendre à bord, dit-il, c'est un « Beechcraft », il faudrait décharger du fret essentiel pour mes camarades de la base. Mais patientez ; si le D.C.3 n'est pas réparé je vous renverrai le petit bimoteur qui m'emporte. »

Grosset va décoller par un temps affreux. Il doit apporter à ses compagnons, avec des pièces détachées importantes, le courrier et les vivres frais dont ils manquent depuis longtemps. Je connais trop bien tout ce que cela représente pour la poignée d'hommes isolée sur la terrible île polaire figée dans les glaces de la mer de Beaufort pour songer un seul instant à discuter. Grosset a raison, ce qui compte pour lui c'est de rejoindre les hommes qui l'attendent, que sa présence va galvaniser.

Cette semaine nous paraîtra longue et déce-
vante malgré l'accueil chaleureux des Pères,
français et belges de la Mission des Oblats,
du R. P. Franche, un Parisien, en particulier.
Leur fréquentation est toujours enrichissante.
Ce pays est le leur, ils l'ont fertilisé de leur
pensée et parfois de leur sang depuis le début
du siècle, quand il n'y avait que des igloos de
glace ou des tentes en peaux de bête, pas
d'avions ni de routes, pas de télécommunica-
tions, pas de ravitaillement, rien que l'homme
polaire en face de la nature hostile.

Wilson a remarqué notre désarroi. Il prend
une décision.

« Ce séjour à l'hôtel ne vous vaut rien. Venez
chez moi, dit-il. C'est peut-être moins confortable, mais plus intime. »

Il habite à l'entrée du pays une maison pré-
fabriquée, qui lui sert de logement, de bureau
et surtout de centre-radio. Ici, chaque grande
compagnie possède son agent privé. Wilson
s'occupe plus spécialement des compagnies
françaises, c'est son premier séjour dans le
Nord, il a laissé sa femme à Calgary. Son rôle
consiste à faire transiter tout le fret, les passagers, le personnel, en direction des bases de
l'archipel arctique. Il coordonne tout entre
Mackenzie King et Calgary. Gros problème
car la tempête et les incidents techniques font
qu'il a pris beaucoup de retard. Cet avion que
nous attendons, il en aurait grand besoin pour
faire partir du ravitaillement. Son centre-radio

comporte un poste émetteur puissant avec lequel il parle, en radiophonie, avec le Pôle et avec le Sud. Il a des heures d'écoute régulières en pleine nuit, de grand matin, et, pendant les quelques jours passés dans sa maison, nous avons eu l'impression de vivre les aventures de tout ce qui s'agite, tourne, vole, travaille sur les glaces de l'archipel arctique. Il est seul, Wilson, mais il parle constamment avec Mackenzie King, avec Sachs Harbour, avec Resolute, avec Cambridge. Un télex lui apporte les instructions des grands patrons, autant de questions difficiles à résoudre si ce n'est par l'esprit d'initiative, l'ingéniosité. Wilson n'a pas le temps de s'ennuyer. Il est partout, circulant sur son « wagon » tout cabossé, s'arrêtant à la banque, à l'Administration, faisant la navette avec le terrain d'aviation, providence des équipes qui reviennent épuisées de leur séjour au pôle, logeant tout le monde, gagnant toutes les sympathies par son perpétuel sourire et son flegme.

Mais toute la sympathie de Wilson n'a rien pu contre le sort : le mardi l'avion du courrier n'apportait toujours pas les pièces indispensables. Depuis le Pôle, Grosset a passé un message. Le petit « Beechcraft » va revenir à Inuvik et repartir au plus tôt en nous prenant à bord. Hourrah !

Lorsque l'appareil se pose comme convenu, Wilson ramène le pilote jusqu'à son bureau. C'est un géant mongol, une force de la nature, bush-pilote par excellence. Parti le dimanche matin à bord de son petit avion qui l'oblige à faire deux escales difficiles à Sachs Harbour sur la Terre de Banks et à l'Ile Melville, il s'est posé à Mackenzie King, et le fret déchargé, sans plus attendre, Grosset l'a expédié à Resolute, la grande base polaire du détroit de Barrow, d'où il est revenu à Mackenzie King, pour en repartir sur Inuvik. Il n'a pratiquement pas dormi depuis trois jours et couvert 10 000 kilomètres. Il sourit mystérieusement comme tous les Eskimos.

« Le voyage a été dur ?

— Très dur, mauvaise visibilité, tempête de neige.

— Pourriez-vous repartir demain ? hasarde Wilson.

— *May be !* Peut-être. » Son sourire s'accentue.

Il s'en va. Aurons-nous cette chance ?

« N'y comptons pas trop, dit Wilson, il promet toujours, mais, après ce qu'il a fait, cela m'étonnerait bien qu'il ne s'accorde pas un peu de repos. »

Wilson avait raison. Nous ne l'avons pas revu. Deux jours plus tard son avion bien lesté l'attendait encore sur le terrain.

Si le courrier régulier n'a pas apporté les pièces de rechange pour le D.C.3, il a amené en revanche deux géophysiciens français venant directement de Paris qui, comme nous, veulent à tout prix rejoindre la base polaire.

Là-haut, tout près du 80ᵉ parallèle, Grosset, infatigable, confirme que le « Beechcraft » doit nous emmener. Le pilote eskimo a finalement promis à Wilson qu'il partirait à dix heures. Mais à l'heure dite, il n'est pas au rendez-vous. N'oublions pas qu'il est Eskimo, métissé d'Indien, et, bien qu'il soit l'un des plus capables et des plus audacieux pilotes du Pôle, il échappe par son ascendance à la notion de temps et d'horaire qui est la nôtre. Capable de piloter trente heures dans la tourmente polaire sans faiblir, il est aussi capable, en bon Eskimo, de dormir trois jours de suite et alors bien malin qui pourrait le décider à partir.

Nos nouveaux et sympathiques amis parisiens ne quittent plus la radio de Wilson. Ils sont en contact avec Calgary, avec le Pôle, à l'affût de toutes les occasions. Ils comptent rentrer à Paris le plus vite possible, mission accomplie.

Un gros bimoteur Fokker imprévu se pose ce même matin sur le terrain pour se ravitailler. Il est chargé à bloc d'un fret important. C'est notre dernière chance.

Le commandant consentirait à décharger notre poids de marchandises pour nous emmener.

« Et quand reviendrez-vous ? dis-je à tout hasard.

— Je ne sais pas, j'ai beaucoup de missions à accomplir là-haut.

— Alors, ne déchargez pas de fret, dis-je, nous ne partons pas !

— Vous renoncez !

— C'est le temps qui nous manque. Si nous voulons réussir la Nahanni, il faut sacrifier notre visite aux îles polaires. »

Pour ma part j'ai déjà choisi. Il faut tenter l'une ou l'autre aventure. Si nous attendons à Inuvik, je vais partager la vie sédentaire des chercheurs de l'île Mackenzie King, le groupe de pétroliers (français) le plus près du pôle Nord. Cela sera passionnant mais m'obligera à renoncer à mon projet initial : remonter la Nahanni, vivre avec les Indiens, entreprendre une expédition qui conviendrait mieux à mon tempérament individualiste puisque nous y serions livrés à nous-mêmes dans la nature hostile des Rocheuses, seuls, à connaître l'inquiétude, le doute, et peut-être la joie de réussir.

Ce sont ces vraies raisons qui font que, bien qu'étant sur place, je n'assisterai pas à l'arrivée du *Manhattan*, perdu dans la foule des reporters venus en avion spécial.

Mon aventure sera personnelle. Ou ne sera pas.

Pierre est consterné mais il ne le montre pas. Lui aussi sait que parfois il faut renoncer pour réussir.

Désormais nous n'avons plus qu'un but : la Nahanni, et quitter au plus vite Inuvik.

L'avion du retour part le lendemain.

Nous en profitons pour visiter une dernière fois la ville, les rives du Mackenzie, la curieuse église en forme d'igloo, la maison artisanale. Nous dînons avec Wilson. Puis, le dîner achevé, Pierre sort avec son appareil pour prendre quelques photos. Une heure après il revient en courant, bouscule tout dans la chambre où nos sacs sont déjà fermés.

« Mes appareils, les films ! J'ai rencontré Sirgue, retour de sa mission, il fait un essai de moteur, il m'emmène, nous survolerons le delta. »

A l'heure rasante où le soleil s'enfonce dix minutes sous l'horizon puis reparaît, Pierre survole le delta et prend clichés sur clichés. La vraie vision de ces terres nous apparaîtra plus tard, au développement : un lacis monstrueux de rivières, de bras détachés du grand fleuve, d'étangs, de lacs, d'îles et d'îlots, alternant la luminescence des glaces et la barre sombre de la taïga, pour se perdre enfin vers le nord dans les brumes persistantes qui recouvrent la mer polaire.

Pour nous le sort en est jeté. Adieu au Pôle. En route pour Fort Simpson.

II

LES INDIENS DU PERE MARY

I

DE FORT SIMPSON
A NAHANNI VILLAGE

NOUS avions tout prévu sauf une chose : le
« Javeline » au retour d'Inuvik ne s'arrête pas
à Fort Simpson. Il va directement de Norman
Wells à Yellowknife ! Encore un retard de
deux jours ! Mais le voyage est confortable, les
deux hôtesses de l'air, une blonde et une brune
ravissantes que l'on ne s'attendrait pas à trouver sur une ligne de l'Arctique, sont aux petits
soins pour nous.

« Déjà de retour ? »

Nous leur expliquons notre mésaventure.
Nous parlons de la Nahanni.

« *Very bad river ! That's all we know about
it !* » disent-elles.

La réputation de la Nahanni s'étend donc
jusqu'à Vancouver d'où elles sont originaires.
Notre voyage les intrigue :

« Qu'allez-vous faire dans ce secteur ?

— Voir si tout ce qu'on dit sur cette rivière est vrai.

— On vous paie pour cela ?

— Non, nous sommes des « free-lance », Pierre et moi.

— Vous ne venez donc pas dans le Nord pour faire du dollar ? Le cas n'est pas courant. »

Elles rient avec une désinvolture charmante.

L'escale de Norman Wells se déroule comme prévu ; de nouveaux passagers montent à bord : une assistante sociale accompagnant une Indienne qui doit accoucher prochainement, deux pétroliers, un fonctionnaire... L'avion pique maintenant tout droit sur Yellowknife. Nous voyons, tout près de l'est, l'immense étendue gelée du Grand Lac de l'Ours, l'un des plus grands du monde ; sous nos ailes la taïga encore enneigée, la nappe brillante du Lac la Martre. Autour des lacs et des rivières la forêt a pris les teintes du printemps, des roux et des verts illuminés par les éclats de diamant des dernières glaces. Le « Javeline » perd de l'altitude, on aperçoit un petit poste isolé : Rae, village indien au milieu des marécages, et c'est déjà Yellowknife.

Une nuit à l'hôtel, une journée à marcher dans la forêt, une soirée avec la bruyante clientèle du bar, et nous reprenons l'avion montant qui doit nous ramener à Fort Simpson. Dans le brouhaha des arrivées et des départs un avion venu de Fort Smith vient de déposer des missionnaires revenant d'un congrès. Nous retrouvons avec joie le P. Duchaussoy que nous avons connu en 1966 :

« Vous voulez « faire » la Nahanni ? Voyez le P. Mary.

— Mais comment le contacter ?

— Le P. Pocet, un Belge, repart sur Simpson avec votre avion. C'est le supérieur de l'Hostel. Je vais vous présenter. D'ailleurs à Fort Smith le P. Pochat nous a prévenus de votre arrivée. Nous avons beaucoup apprécié vos *Peuples chasseurs de l'Arctique*. Vous êtes déjà annoncés à Fort Simpson. »

Ainsi se renoue la chaîne d'amitié qui nous avait tant aidés durant notre premier voyage.

Le P. Pocet est grand, très jeune d'allure malgré la cinquantaine, discret et efficace, un visage grave qui se détend parfois dans un très beau sourire.

« Nous parlerons de votre projet dans l'avion, dit-il. Avant tout il faudra savoir où toucher le P. Mary ; il est partout et nulle part, un vrai Indien, il a un bon bateau, il connaît la rivière mieux que personne. Vrai ! pour vous aider je ne vois que lui... »

Le « Javeline » ne s'est arrêté que vingt minutes sur la piste de brousse et, sitôt le nuage de poussière du décollage dissipé, le P. Pocet nous fait monter à bord de son « power-wagon ». Vingt kilomètres de pistes nous séparent de Fort Simpson. La route est tracée dans une majestueuse forêt d'épicéas et de peupliers dont les cimes atteignent et dépassent vingt mètres. Une grande forêt, immense et mystérieuse, très différente de la taïga de l'Est. Puis la piste dévale les berges de la rivière Liard. Nous sommes au confluent de ce fleuve étonnant (le mot de rivière ici n'a plus le même sens que chez nous) et du grand, de l'immortel Mackenzie. La débâcle des glaces est au maximum, la rivière Liard s'est dégagée depuis quelques jours mais le Mackenzie charrie encore d'énormes glaçons qui, par le jeu des courants, viennent s'entasser pour former le long de la digue qui sert de route, et qui permet de gagner l'île sur laquelle est bâti Fort Simpson, un imposant « ice-foot ». Ils s'accumulent sur plus de vingt mètres de hauteur et une centaine de mètres de largeur, couverts de boue et de sable, sapés par les courants, sans cesse en mouvement, s'effondrant parfois dans un fracas épouvantable.

Une large avenue, aux maisons clairsemées, parcourt l'île du sud au nord. Voici « The Bay », l'inévitable comptoir de la « Baie d'Hudson », le Collège, l'Hostel, l'Hôpital, constructions monumentales qui couvrent les deux tiers de la superficie de la ville, enfin la cure où le P. Lizé, un missionnaire belge, nous accueille chaleureusement. Nous dormirons chacun ce soir dans une chambre monacale et méticuleusement propre, et nous avons tout l'après-midi pour préparer notre départ.

« Quand comptez-vous partir ? interroge le P. Pocet.

— Dès demain si possible. »

Notre hâte le fait sourire.

« Il faut d'abord savoir où se trouve le P. Mary, je vais m'informer. »

Le P. Pocet a ses antennes et le téléphone fonctionne.

« Vous aurez des chances de le rencontrer à Nahanni Butte. Il a quitté Fort Liard il y a quelques jours en bateau, il est certainement sur la rivière.

— Alors dès demain nous gagnerons Nahanni. Où peut-on louer un avion ?

— C'est facile, voyez Peter Cowie au bout du village. Je lui téléphone. »

Cowie travaille autour de sa maison de bois. Nous nous entendons très vite.

« Nahanni Butte ? 90 dollars. Quand voulez-vous partir ?

— Demain matin.

— Demain matin... Je conduis un malade à l'hôpital de Yellowknife, ensuite je dois faire un vol jusqu'à Fort Liard, je serai de retour... vers quatre heures de l'après-midi ; si le temps le permet on repartira tout de suite. Combien de bagages ?

— 150 livres environ.

— Ça ira, à demain ! »

Il n'y a plus un moment à perdre. Nous

devons prévoir des provisions pour un mois, acheter des pantalons de brousse, des bottes ; pour le reste nous sommes parés : pas de tente, mais nos sacs de couchage, et nos vestes en duvet, le minimum de poids. Telle est notre règle, opposée à celle des aventuriers de ce pays pour qui le poids ne compte pas puis-qu'ils ne portent jamais rien ; dans le Nord le canot, le traîneau à chiens, le skidoo, l'avion, sont là pour ça. Pour nous qui avons gardé notre mentalité d'alpiniste, le poids c'est l'ennemi. Ces achats à la « Bay » font partie du cérémonial du départ. Les gérants ont l'habitude, en un tour de magasin nous avons tout ce qu'il nous faut. Le directeur est fort aimable avec les bons clients que nous sommes.

« A quelle compagnie dois-je envoyer la note ?

— Je paie, comptant.

— Oh ! *(Il marque son étonnement.)* Tous les Blancs qui partent pour le bush appar-tiennent à des compagnies de recherches ou à l'Administration. Et où allez-vous comme ça ?

— Nahanni !

— Par avion ?

— Peut-être, nous ne savons pas. Tout dépendra du P. Mary. »

Il sourit :

« Je comprends ! Father Mary est un bon guide ; mais faites attention. Encore trois morts il y a un mois, un avion qui s'est écrasé près des Virginia Falls !

— Nous savons. »

Il nous regarde partir en hochant la tête. Encore des fous, doit-il penser.

Toutes les personnes à qui nous exposerons notre projet auront la même réaction. La Vallée des hommes morts est aussi la Vallée sans hommes ! Seuls à ce jour quatre Français ont réussi, après s'être parachutés aux sources mêmes de la Nahanni, à descendre la rivière sur des dinghys de caoutchouc, embarcations de sauvetage de l'aviation canadienne. Quarante et un morts avant eux, trois nouvelles victimes après... Mais jusqu'aux Virginia Falls, la remontée des rapides et des cañons a été faite plus souvent. Notre désir est d'atteindre ces mystérieuses chutes, les plus hautes de l'Amérique du Nord, cent mètres de hauteur verticale, cent vingt mètres de hauteur totale.

Nous nous sommes arrêtés longuement, Pierre et moi, sur la berge du Mackenzie ; une falaise d'argiles et de sables s'éboule à pic dans les eaux grises du fleuve. Les glaçons de la débâcle filent bon train dans le courant rapide ; certains sont de grandes dimensions, tous capables de· briser une embarcation légère ; des troncs d'arbres entiers s'ajoutent aux obstacles, mais le gros de la fonte des glaces est passé ; quelque cinquante kilomètres plus au nord le pack obstrue encore le fleuve et rend la navigation impossible.

Sur le terrain de sport des collèges, de jeunes Indiennes court vêtues jouent au base-ball. D'autres écoutent des airs de jazz sur leurs postes à transistor ouverts à grande puissance. La musique exerce sur elles comme une fascination. Des garçons viennent les rejoindre, mais nulle part on n'assiste à des scènes d'alcoolisme car il n'existe encore aucun bar à Fort Simpson et l'auberge rudimentaire et plus qu'espagnole où nous échouons ne sert même pas de bière. Aussi ce petit poste donne-t-il une impression de bonne santé, bien différente d'Inuvik ou de Yellowknife. Qu'en restera-t-il lorsque la route en construction, la « Highway » qui doit relier Simpson à Hay River, sera achevée, ouvrant le Nord à la vie moderne, apportant les bienfaits et, hélas ! les vices de notre civilisation ?

Le pilote est à l'heure. Bien qu'il ait couvert dans la matinée plus de huit cent miles à bord de son petit Cessna 190, il est prêt à décoller. Il travaille pour son compte et vole par tous les temps. Aujourd'hui de lourds nuages d'orages roulent sur la chaîne de la Nahanni qui borde l'horizon de l'ouest, mais Cowie est confiant.

« J'arrive de Liard, j'ai dû contourner une ou deux perturbations mais j'ai reconnu le terrain de Nahanni Butte, il n'est pas inondé, et le plafond est suffisamment haut. En route ! »

76

Pierre me regarde en souriant :

« On commençait à en avoir marre de la vie des postes. »

Malgré sa charge, le Cessna couvrira en une heure la distance qui sépare Simpson de Nahanni Village (100 miles environ) ; il survole d'abord la lourde forêt de peupliers qui habille uniformément la plaine, une sorte de plateau marécageux piqué de centaines de lacs et bordé à l'est par les méandres de la rivière Liard. Devant nous une montagne grandit, sorte de dôme enneigé continué vers le nord par une falaise calcaire qui disparaît à l'horizon ; c'est la Nahanni Butte, qui domine le village indien. L'avion vole à quelques centaines de mètres au-dessus de la forêt ; sur notre droite, les falaises calcaires nous surplombent nettement, avec leurs vires encore enneigées ; sous nos ailes la rivière Liard serpente et s'étale en multiples bras laissant partout des layons en forme de faucille recouverts par les grandes crues. Sur l'un de ces étangs, un élan prend le frais, dans l'eau jusqu'au ventre ; puis, au bruit du moteur, il lève sa hideuse tête de mule, et, comme nous décrivons des cercles en perdant de l'altitude, il sort de l'eau en quelques bonds gigantesques pour se mettre à l'abri de la forêt.

Bientôt un terrain minuscule se précise, tout contre la montagne, à côté de deux vastes bâtiments dressés dans une clairière.

« La maison de Dick Turner, sa piste privée », nous informe le pilote.

Dick Turner, c'est le « Trader », le commerçant, une figure du Nord que nous aurons l'occasion de mieux connaître. Pour le moment il s'agit de se poser sur la rive gauche de la Nahanni qui se jette un mile plus bas dans la rivière Liard. Le village aligne ses huttes sur une clairière, des canots sont amarrés sur les berges, une barque remonte le courant.

Est-ce la barque du P. Mary ? Nous le souhaitons de tout cœur.

La piste d'atterrissage, simple bande de terre défrichée dans la forêt marécageuse, est souvent inondée. Mais aujourd'hui, par chance, le sol est à peu près sec. Notre petit avion n'a pas besoin de beaucoup de terrain, à peine roule-t-il deux cents mètres qu'il s'arrête. C'est vraiment ce qu'on appelle se poser au milieu des arbres.

Subitement le silence, la solitude.

A droite, à gauche, la forêt ! Vers le nord, par la trouée de la piste, on aperçoit une des maisons du village, puis le miroitement de la rivière dominée par la haute coupole de forêts et de rocs de la Nahanni Butte.

Personne n'est venu nous accueillir. Le pilote va nous accompagner au village, où tout est silencieux et comme endormi ; sur l'estacade qui sert de débarcadère il trouve une brouette.

« Pour vos bagages », dit-il.

C'est ainsi que nous avons fait notre entrée dans Nahanni Village, poussant à tour de rôle la brouette chargée de notre matériel. Quelques Indiens flânent autour de leur maison. Notre venue les laisse indifférents, nous déposons notre premier chargement devant l'école vide et silencieuse et nous repartons chercher le reste.

La Butte s'est couverte d'une calotte de nuages menaçants que les vents rabattent sur la forêt. C'est ainsi que parfois « l'âne », ce nuage annonciateur de mauvais temps, se forme soudainement sur la cime du mont Blanc.

« *Storm is coming !* » dit brièvement Cowie. Il doit partir. Nous convenons de faire appel à lui si nous avons besoin d'un avion pour notre exploration.

« Le « Trader » a la radio, il me préviendra, dit-il. *Good Bye, Be careful !* »

Un court point fixe du moteur, le vent qui couche les herbes de la piste, et déjà le petit avion n'est plus qu'un point noir perdu dans les lourdes nuées d'orage.

Dans l'accalmie qui suit le décollage, une musique irréelle emplit soudain la large vallée. C'est comme un chant touffu et indistinct qui tout à coup éclate en sonorités wagnériennes, un bruit de fond continu, qui semble couler avec les flots mêmes de la rivière, rumeur de création du monde si bien accordée avec les immensités vides de ce continent. Désormais ce chant de l'eau nous suivra jusque dans les grands silences de la solitude pour sensibiliser nos nerfs, ajouter à l'angoisse indéterminée qui accompagne nos projets, à l'inquiétude latente que provoque le climat de la Nahanni.

La rivière coule devant nous, à pleins bords, charriant d'énormes troncs d'arbres, qui défilent en véritables flottilles, comme des sous-marins dont seuls surnageraient le kiosque et le dos rond de la coque. Leur vitesse nous donne une idée de la violence cachée de ces eaux.

« C'est la partie navigable, me dit Pierre, ça promet pour plus tard ! »

Pourtant, dans son cours inférieur, la Nahanni semble paisible, elle serpente dans la forêt comme une rivière capricieuse et dolente, une rivière qui serait large comme la Loire à Nantes, que dis-je, une rivière ? Ce sont, depuis « Hot Springs », trois, quatre rivières, descendant au coude à coude, mêlant leurs eaux, se séparant à nouveau, encerclant des îles, divisant des terres, puis réconciliées ne formant plus qu'une masse d'eau à la force tranquille et inépuisable qui ira grossir la rivière Liard, encore plus large, plus longue, plus gigantesque, jusqu'à ce que toutes ces eaux démentielles se mêlent cent trente miles plus au nord à celles du Mackenzie, le grand fleuve légendaire.

Nous parcourons le village qui groupe une vingtaine de « cabins », sortes de huttes rectangulaires en rondins de spruce non équarris, couvertes de tôle ou de papier goudronné ; chaque habitation abrite une famille d'Indiens ; il n'y a pas de rues, l'ensemble repose sur une prairie aux herbes rases qui fait de ce village, à priori, un endroit édénique. Nous arrivons au bon moment, la neige a disparu et les moustiques ne sont pas là. Nahanni est l'endroit du Grand Nord où l'éclosion des moustiques prend parfois la proportion d'un véritable fléau. On raconte sous le manteau l'histoire de ce prélat vénérable qui, atterrissant ici en plein été, ne put résister plus de dix minutes à l'assaut des moustiques, et dut chercher refuge dans la petite cabane du missionnaire d'où il ne ressortit que pour reprendre l'avion et quitter ce lieu maudit.

Quelques enfants jouent autour d'une cabane, ils sont rieurs et nullement étonnés de nous voir, aucun d'eux d'ailleurs ne s'est dérangé pour assister à l'atterrissage ; pour eux il n'existe que trois moyens de transports : le traîneau à chiens l'hiver, l'avion, ou le canot l'été.

Un vieillard bine un jardin minuscule. N'y aurait-il en ce village que des vieillards ou des enfants ? Réponses laconiques à nos questions :

« Le P. Mary ? Il doit venir. Quand ? (*Il hausse des épaules : est-ce une question à poser ?*) Le P. Mary viendra quand il aura envie de venir, ce soir, demain, dans huit jours. L'instituteur est-il là ? Il ne sait pas ! »

Mais un jeune Indien botté, à veste de cuir noir, ceinture à boucle et chapeau texan, qui, de loin, nous a vu discuter, s'avance vers nous. La pluie commence à tomber à grosses gouttes. Il faudrait au moins un abri pour nos bagages. Cet homme nous aidera peut-être.

Il parle un très bon anglais et, sous son allure inquiétante de bushman, il paraît intelligent.

« Le P. Mary sera sûrement là demain, dit-il. C'est dimanche et il doit dire la messe.

— Où est-il ?

— Il a conduit à Hot Springs le *Welfare Officer* et une dame. »

Hot Springs, nous le savons, c'est la cabine d'un ancien chercheur d'or perdue à cinquante miles en amont et à l'entrée des cañons de la Nahanni. Ce Gus Kraus, dont on nous a parlé avec sympathie, y vit dans un isolement total avec sa femme indienne Mary, et son fils adoptif Mickey. Je m'étais promis d'aller le voir mais je ne pensais pas qu'il prendrait une part aussi importante à notre expédition.

« Et l'instituteur ?

— Il est parti pour quelques jours à Fort Simpson avec sa femme et son fils.

— Où pourrions-nous loger ? »

Il nous conduit à la maison de l'instituteur, ouvre la porte.

« Ici, si vous voulez. »

Nous entrons, le logis est abandonné, mais

nous ne pouvons décemment pas prendre possession de ce home privé, image du confort canadien transféré en pleine brousse : vaste cuisine, living-room, tapis, tableaux, souvenirs accrochés aux murs ! Ce serait violer l'intimité des occupants.

Peut-être pourrait-on dormir dans la salle de classe, suggérons-nous. L'Indien nous conduit à l'école, elle est propre, vide, mais vivante de tous les dessins des enfants accrochés aux murs — le dessin prend une place importante dans l'enseignement des Indiens — il y a une salle de douches. Un instant la pensée nous effleure de disposer sur le sol nos sacs de couchage. L'Indien ne s'en étonnerait pas. Mais cette salle de classe abandonnée par les élèves nous apparaît comme un lieu sacré.

« N'y a-t-il rien d'autre ? demandé-je. Un simple toit pour nous abriter de la pluie. La Hutte des Affaires indiennes, par exemple ? »

Dans chaque village il y a toujours une cabane à la disposition des fonctionnaires en visite.

« On va voir le *genitor*. »

Ce vieux mot français sert à désigner le responsable de la petite communauté ; c'est lui qui, en l'absence des Blancs, assure le bien-être de tous, l'entretien du moteur de la centrale qui fournit la lumière et la force, la réfection des bâtiments publics...

Le genitor est un jeune Indien vêtu, lui aussi, en Texan. Il prend immédiatement l'initiative des opérations, et nous dirige vers une curieuse construction en forme de tente gigantesque dont les mâts seraient des arbres entiers formés en faisceaux, dont les flancs sont faits de troncs d'arbres non équarris et dont le toit conique abrite un espace circulaire d'une quinzaine de mètres de diamètre.

« La maison commune », dit-il.

Deux cents personnes y tiendraient à l'aise, l'atmosphère y est humide et froide, mais nous avons un toit. Car, déjà, la pluie tombe à torrents et ruisselle sur les pelouses.

Nous nous installons. Ce n'est pas la place qui manque et nous en profitons pour trier nos affaires, notre équipement, nos provisions. Puis je fricote le repas du soir, et, nos rangements terminés, nous entamons en bons Français une partie de belote. Pierre me gagne consciencieusement. Les heures coulent, le jour n'en finit pas, mais l'orage est maintenant très fort et des gouttières inondent une partie de l'immense salle. Il ne nous reste plus qu'à attendre.

Nous voici donc à l'embouchure de la Nahanni ! La rivière mystérieuse prend sa source à cinq cent vingt kilomètres plus au nord, au mont Christie, sur la ligne de partage des eaux du Yukon et du Mackenzie. Comment la remonterons-nous ? Comment le P. Mary nous accueillera-t-il ? Cet homme étrange que tous respectent, dont les supérieurs reconnaissent à la fois le génie et le dévouement de missionnaire associé, paraît-il, au caractère d'un véritable homme des bois, chasseur et boucanier. Ce genre de caractère est enclin parfois à ne pas faciliter la tâche de ceux qui pénètrent dans leur domaine réservé. Bien sûr, nous avons une lettre du P. Pocet. Cela prête à sourire, une lettre d'introduction ! En ces lieux ! Comme si nous nous présentions dans un bureau officiel. Nous savons bien que seule notre rencontre décidera de notre association, le P. Mary nous jaugera, et dira oui ou non. Pas un non catégorique, bien sûr, mais il nous dissuadera de passer à l'exécution de notre projet s'il nous en juge indignes. Alors à quoi bon épiloguer. Demain le P. Mary sera là.

Engoncés dans nos sacs de couchage, nous écoutons la pluie déferler sur la toiture. Avec sa forme conique posée sur un mur de rondins polygonal, la maison commune donne assez bien l'impression d'une hutte de chef africain, pour un peu on se croirait à la saison des pluies, quelque part au Soudan ! Mais, tout près de nous, coulent les eaux démesurément grossies par l'orage de la Nahanni. Le bruit sourd que nous entendons c'est le bruit de sape qu'elles font sur les berges, entraînant parfois des pans entiers de rives, qui s'affaissent avec leur quartier de forêt dans un plouf comparable au vêlage d'un iceberg dans la mer.

Nous sommes réveillés en sursaut, en plein milieu de la nuit. L'orage n'a rien perdu de sa violence. La porte s'ouvre en claquant, quelqu'un pénètre à grands pas dans la salle ; un homme, vêtu d'un anorak, qui semble sortir directement des eaux de la rivière. Nous nous levons d'un bond, il est déjà sur nous, tendant les mains, parlant fort. Sans l'avoir jamais vu, nous reconnaissons le P. Mary. Il rejette son capuchon en arrière, découvre une tête carrée, énergique, un visage glabre, en harmonie avec sa stature d'athlète. Son regard brille de volonté malgré ses yeux rougis par le froid, qui le fait trembler nerveusement mais qui n'a aucune prise sur lui. Nous n'avons pas le temps de placer un mot, il parle, il parle, comme s'il se défoulait d'un long silence et d'une trop grande concentration d'esprit.

« Père Mary ?... dis-je, mais il ne me laisse pas achever.

— C'est vous les Français ? Quel temps de chien ! J'ai bien cru ne pas pouvoir arriver, je n'aurais pas dû quitter Hot Springs avec cet orage. La rivière n'a jamais été aussi dangereuse, partout des troncs d'arbres entraînés par la crue, neuf heures à tenir la barre, face au vent, visibilité nulle, on s'est échoué plusieurs fois... »

Il claque des dents. Sous ses bottes des flaques d'eau s'étalent sur le plancher, on dirait un naufragé. Il nous examine un court instant. J'en profite pour nous présenter, il écoute distraitement, puis, tout à coup, quelque chose retient son attention :

« Pardon, monsieur, répétez-moi votre nom,

Frison-Roche... attendez, ça me dit quelque chose, c'est bizarre, comme un souvenir d'enfance...

— *Premier de Cordée*, dis-je pour lui faciliter les choses.

— Oui, c'est ça. Par exemple, vous ici par un temps pareil !

— Nous sommes arrivés de justesse. Prenez un coup de whisky, mon père, ça vous réchauffera. »

Déjà il pense à autre chose, il oublie de boire, inspecte les lieux.

« Ça flotte de tous les côtés, vous n'allez pas dormir ici. Venez chez moi. En attendant nous allons prendre le café chez l'instituteur, j'y ai laissé mes deux compagnons, je veux voir comment ça va. Ils voulaient connaître la Nahanni, ils ont été servis ! L'homme n'avait plus de réactions, la fille est très forte. Lui c'est le *Welfare Officer* (aide aux Indiens), il a compris ! On ne le reverra plus.

— Dites-nous, père, nous vous cherchions partout, mais comment avez-vous appris notre arrivée ? Peut-être le P. Pocet a-t-il pu vous joindre ?

— Non ! Mais les nouvelles vont vite dans le bled. On sait maintenant dans tout le Mackenzie qu'il y a deux Français à Nahanni Butte. Vous qui avez « fait » le Sahara, vous connaissez le téléphone arabe. Ici c'est la radio amateur qui fonctionne. J'étais donc à Hot Springs, chez Gus. Je vous raconterai sa vie, un type épatant, il possède une radio, c'est sa manie et sa seule distraction, bavarder avec ses amis lointains. Il était à l'écoute, et il apprit de Fort Simpson que Cowie avait déposé deux Français à la Butte. Ça m'intriguait, je n'attendais personne, sinon mon évêque, mais pour la fin du mois. Et puis ! deux Français, sans mission définie... J'avais décidé de partir demain matin à la première heure, mais le *Welfare Officer* était pressé, il ne songeait qu'à rentrer le plus vite possible, encore un qui croit que son temps est précieux. A cinq heures du soir, l'orage menaçait, j'ai commis la stupidité d'accéder à ses désirs. La visibilité était nulle, je ne distinguais plus le friselis brillant des courtes lames qui signalent les rapides ou les bancs de sable, on a failli s'empaler sur des troncs d'arbres, et puis les eaux de la Nahanni avaient monté d'un mètre et la route n'était plus la même. C'est long neuf heures à fixer les eaux devant soi, à écouter le bruit du moteur, à prendre en pleine gueule les rafales de pluie. Enfin, ça y est ! »

Il nous entraîne sous la pluie jusqu'à la maison de l'instituteur. Une jeune femme souriante fait chauffer du café. Affalé sur la carpette du living, un grand et jeune gaillard, en slip, bougonne quelques phrases en nous voyant, puis continue à se chauffer le derrière devant le radiateur électrique dans une posture tellement comique que nous nous retenons, Pierre et moi, pour ne pas éclater de rire. Visiblement, nous ne l'intéressons pas. En revanche, la jeune femme semble ravie de son aventure. « C'était merveilleux, dit-elle, cette rivière en crue, cet orage », et elle remercie chaudement le P. Mary qui a tout fait. Accroupie dans la barque à l'avant, elle a moins souffert que les hommes. Son compagnon, lui, grelottait sur le banc, vêtu d'un simple chandail sur sa chemise de nylon...

Nous acceptons la tasse de café et nous repartons avec le P. Mary.

« Vous venez chez moi, dit-il... On va déménager votre barda. »

Une demi-heure plus tard nous pénétrons dans la petite maison en rondins de la Mission. Le P. Mary l'a bâtie de ses mains. Ses supérieurs voulaient qu'il construise une maison confortable, il a refusé. « Je dois vivre comme les Indiens et ma maison doit être comme la leur. » L'intérieur est une enfilade de deux pièces rectangulaires, et la blondeur des troncs de spruce bien écorcés y apporte une note de chaleur et d'intimité en plein accord avec la nature du lieu. Un poêle, une table, des chaises, un banc, un amas de livres d'enfants en anglais, le tout éclairé par de larges baies vitrées. La première pièce est le lieu de rendez-vous du Père et de ses Indiens. La seconde, à laquelle on accède par une large ouverture sans porte, taillée à même les rondins, lui est réservée ; on y trouve sa couchette, la cuisine, une armoire à provisions, un bahut pour ses livres et ses effets liturgiques, le tout dans un beau désordre ; l'homme qui vit ici ne s'attache visiblement pas aux choses matérielles. Mais deux ou trois carabines, à moitié démontées, trahissent le chasseur impénitent qu'est le P. Mary.

Il s'est changé en un tour de main, a mis ses vêtements à sécher devant le poêle à mazout, préparé du thé bouillant, des toasts, puis, assis à la table, il nous regarde avec intérêt.

« Qu'est-ce qui vous amène ici ?

— Nous désirons connaître la Nahanni. »

Il éclate de rire.

« Ah ! Oui ! Les hommes scalpés, les disparitions, les hors-la-loi... vous cherchez de la sensation ?

— Non. Simplement cette rivière nous intrigue. Est-elle aussi meurtrière que sa réputation ?

— Pour ça oui ! Et elle n'a pas fini d'en faire voir à ceux qui voudront la visiter. »

Je hasarde timidement :

« Le P. Pocet et tous vos collègues missionnaires m'ont dit que vous étiez le seul à pouvoir nous aider.

— J'aime beaucoup le P. Pocet, il était mon supérieur à Fort Liard, c'est un homme énergique. Mais, dit-il tout à coup, ne serait-ce pas vous qui avez fait, il y a quelques années, un voyage avec les Indiens de Snowdrift ? On m'en a parlé.

— C'était nous, en effet.

90

— Bon, ça change un peu mon point de vue. Excusez-moi, me dit-il, mais votre nom, votre âge, votre qualité d'écrivain, vos cheveux blancs, ça ne sert pas de référence pour la Nahanni. »

Il rit comme un gosse.

« Allez-y, mon père, j'en ai entendu d'autres ! Les Eskimos avaient peur de me « casser » en cours de route. Pour Pierre, en revanche, il n'y a pas de problèmes. »

Il dévisage mon jeune compagnon et tous deux échangent un bon sourire.

« Tout ça c'est très beau, mais il faut me laisser le temps d'y réfléchir. De combien de temps disposez-vous ?

— Tout le temps nécessaire...

— Alors soyez patients... J'ai un très bon canot, rapide, mais il a été construit pour naviguer sur la rivière Liard. La Nahanni, c'est autre chose. On ne peut lui adapter les deux moteurs nécessaires pour remonter le courant. Ces moteurs je les ai, mais il faudra trouver une autre embarcation. On avisera.

— Il y a donc un espoir.

— Tout n'est que patience. Demain, après la messe, nous remonterons la Liard jusqu'à Fort Liard. Nous verrons le policier, il a une belle barque et grande envie de voir lui aussi les Virginia Falls. Maintenant installez-vous pour la nuit. »

Il déplie un lit de camp. Une vieille banquette d'automobile fera une deuxième couchette convenable. Nous installons nos sacs, il est peut-être trois heures, quatre heures du matin. Le P. Mary, intarissable, parle encore de la Nahanni, de la rivière Liard, de ses Indiens.

II

SUR LA RIVIERE LIARD

APRÈS des années de brousse le P. Mary est devenu un véritable Indien. Comme eux il n'a pas d'horaire, ne dort que quelques heures, sans tenir compte du jour ou de la nuit.

Sa belle voix métallique me tire d'un sommeil agité. Pierre est déjà debout.

Ces deux-là n'ont pas besoin de sommeil. Je suis au contraire un dormeur impénitent et douze heures de lit ne me font pas peur.

L'orage de la nuit s'est dissipé.

Je sors dans l'ardente lumière du Nord ; les montagnes sont blanches jusqu'à cinq cents mètres d'altitude. Toute cette neige fraîche qui fait place brusquement à la couverture de forêt compose un paysage d'une très belle harmonie.

« A table ! » dit notre hôte.

Mon compagnon et lui ont tout préparé pendant que je dormais ; nous mangeons rapidement puis le missionnaire sort et donne le premier coup de cloche ; la petite chapelle est très élégante dans sa rusticité de rondins écorcés, avec son campanile bien équilibré.

« Vous avez le temps ! Je sonne trois coups. Le premier à neuf heures pour réveiller le village, le second à neuf heures et demie pour dire que c'est pour bientôt, et quand je sonne le troisième coup les Indiens se décident à bouger, vous les verrez arriver avec quelque vingt minutes de retard. L'important, c'est qu'ils viennent. »

Le P. Mary passe sur ses pantalons et ses bottes une soutane noire recouverte d'une chasuble blanche et se retire dans la chapelle. Peu à peu le village s'anime, en tout une vingtaine d'Indiens, des femmes et des enfants, quelques adolescents, deux ou trois vieux. La majeure partie de la population est à la chasse, en forêt.

« On leur construit de beaux villages, nous dit le P. Mary, mais l'Indien préfère le bush, il est toujours loin, à la chasse, à la pêche ; il y a la saison des fourrures, l'hiver, puis celle du castor qui se termine, et toute l'année la chasse au « moose » (l'orignal) pour faire de la viande. Chaque fois qu'un Indien part pour rejoindre sa ligne de trappe il emmène toute sa famille. L'instituteur n'a jamais beaucoup d'élèves à la fois. »

Nous assistons à l'office.

Le P. Mary est transfiguré, le mot n'est pas

trop fort ; son visage est d'une admirable sérénité. Les enfants reprennent les cantiques en
chœur, puis vient le sermon. Il le fait selon
la coutume d'abord en anglais, durant quinze
minutes ; il explique l'évangile avec beaucoup
d'humour, des formules simples comme des
paraboles. Puis il reprend le même thème en
dialecte « slave ». Alors il redevient lui-même,
ce n'est plus le missionnaire parisien, c'est un
Indien qui parle, avec son cœur, avec son âme,
avec ses bras et son sourire, qui mime l'évangile. Merveilleux instant où, sans comprendre,
nous devinons le sens des mots sacrés que
les Indiens écoutent avec déférence. Parfois
des gosses se chamaillent, crient, pleurent,
c'est l'église des premiers jours dans toute
sa sincérité.

Après l'office, des groupes se forment sur
la prairie, le père va de l'un à l'autre, tutoie
tout le monde, taquine, prend des nouvelles,
connaît chacun par son nom indien. Ses boutades font rire ; l'Indien qui est taciturne aime
les gens gais, peut-être parce qu'en lui-même
il sécrète une étrange mélancolie venue du
fond des âges, une sorte de résignation qui
ne permet pas le rire.

Nous n'avons plus reparlé de la Nahanni,
nous attendons que le P. Mary aborde lui-
même le sujet. Mais il fait en ce moment la
tournée de ses paroissiens, va d'une maison à
l'autre, apporte ici de la farine, là du sucre...
puis revient, toujours aussi actif.

« Je vais à Nitla, c'est une cabine de pêche, à dix miles en amont sur la Liard. Une famille à déménager. Vous voulez venir ? »

Ce sera notre premier contact avec la rivière.

La barque du P. Mary est longue et effilée ; une bête de course comme toutes les barques de ces rivières, où les différences de niveau sur l'étiage sont considérables. Elle est à fond plat et propulsée par un moteur hors-bord de 35 CV qu'on appelle ici un « kicker » ; l'ensemble donne une impression de légèreté trompeuse.

Nous embarquons sous une petite pluie fine par un ciel couvert et bas. Il faut d'abord écoper l'eau qui s'est accumulée dans la barque.

« J'ai un joint de la coque qui perd, j'ai oublié de le calfater, on verra ça à Fort Liard. Vous aurez un peu les pieds mouillés mais tant pis. Les bottes sont faites pour ça. »

Une fois larguée la corde qui sert d'amarre, le courant fait pivoter la barque, le père lance son moteur et s'installe dans sa position favorite, assis très haut sur un fût d'essence dressé, ce qui lui permet de surveiller par-delà la proue le lit semé d'écueils de la rivière.

Ce n'est au début qu'une navigation facile, dans un bras de la Nahanni, le long des berges d'argiles et de sables rongées par les crues, un couloir liquide au sein d'une forêt très dense de peupliers et de spruces. Le pilote évite les écueils qui se présentent, le mince sillage argenté qui signale un sapin immergé dangereusement la pointe en avant... nous débouchons sur le confluent de ce bras de la Nahanni et de la rivière Liard. Sans les épaves qui descendent le courant, on se croirait sur un lac immense et tranquille. Notre vitesse propre s'opposant à celle du courant descendant procure une impression de grande rapidité ; or, nous faisons tout juste six à sept miles à l'heure.

La Liard décrit dans la forêt des méandres gigantesques, et après trois quarts d'heure de navigation sur une boucle nous nous retrouvons tout près de notre point de départ. Une chaîne de montagnes, la Liard Range, barre l'ouest de sa longue muraille enneigée ; au nord, le dôme de la Nahanni Butte se présente comme un cône volcanique qu'il n'est pas, une sorte de Fouji-Yama, plus arrondi, moins élevé...

A la barre le P. Mary, constamment en alerte, surveille de loin les pointes meurtrières des sapins portés par le courant. La moindre épave trouerait sa barque.

« Les plus dangereux sont fichés en biais dans la rivière. Les crues les arrachent des rives par dizaines, avec leurs racines chargées d'une énorme motte de terre ; le poids de la terre entraîne la souche au fond de l'eau, l'arbre bascule vers l'avant en direction du courant puis reste planté là comme un épieu.

Un tronc qui flotte on peut l'éviter si le moteur marche bien, un arbre immobile et presque invisible, c'est plus délicat !

« Il y a aussi les bancs de sable. La rivière peut monter ou descendre d'un mètre en quelques heures, elle change constamment. Un simple scintillement de surface suffit à signaler un danger, que ce soit un tourbillon, un haut-fond ou une roche immergée. La vraie connaissance de la rivière c'est cela, deviner ce qu'il y a dessous ! Une pratique longue à acquérir. C'est pourquoi la Nahanni, peu fréquentée, est dangereuse. La plupart de tous ceux qui ont remonté les trois cañons et la Vallée des hommes morts, en amont de Hot Springs, n'ont fait qu'un voyage. A part Albert Fayler ou Gus Kraus, personne ne peut prétendre connaître la Nahanni !

— Et les Indiens ?

— Actuellement un seul homme serait peut-être capable de vous y conduire : Konisenta. Et encore ! il ne possède pas l'embarcation nécessaire. N'oubliez pas que les Indiens n'ont jamais frquenté la haute Nahanni. Pourquoi iraient-ils courir de tels risques ? Ils ont dans la plaine tout ce qui était nécessaire à leur existence avant l'arrivée des Blancs, le gibier, le bois et les fourrures !

« La légende de la Nahanni c'est celle des montagnes vides du Grand Nord américain. Pour réveiller ces solitudes, il fallait la découverte de l'or. Croyez-moi, sur les quarante-trois morts de la Nahanni, les deux tiers étaient des prospecteurs, mais... »

Il coupe net sa phrase, donne un coup de barre violent, la barque vient d'éviter de justesse un tronc flottant.

« Vous me faites parler et je ne devrais pas. C'est comme ça qu'arrivent les pépins ! On discutera de tout ça ce soir. »

Il se concentre à nouveau, tantôt dirigeant sa barque le long des rives là où le courant est plus faible, tantôt coupant court la rivière pour gagner sans raison apparente l'autre bord. C'est une navigation en zigzag, imprévue, captivante. Le bruit du moteur couvre la rumeur permanente des eaux ; une pluie fine nous transperce, la barque se remplit d'eau, le froid traverse nos bottes, les deux rives se rejoignent devant et derrière nous et nous enferment dans un vaste lac sans issue. Soudain, un chenal déchire la forêt, s'élargit ; nous doublons des îles désertes, nous longeons la haute forêt, immense palissade dominant les rives abruptes, et, dans un large coude, une hutte de rondins apparaît, penchée sur le talus de la berge.

« Nitla ! » dit le père.

A l'embouchure d'un petit affluent de la Liard, cette « cabine » est la hutte de chasse et de pêche de Phil Edda. Nous franchissons la légère barre qui marque la rencontre des deux rivières, et pénétrons en eaux plus calmes. La barque est amarrée par une longue corde aux saules du rivage. Un raidillon de dix mètres permet d'accéder sur une large clairière défrichée. Phil a demandé au P. Mary de venir le chercher. Il possède, paraît-il, le dernier canoë en écorce de spruce des Indiens de cette région, une pièce de musée, et j'apprendrai plus tard que les pères ont l'intention de l'acheter pour leur musée de Fort Smith. Mais, sur ce canot, il lui faudrait plusieurs jours et des allers et retours épuisants pour transporter toute sa famille. L'Indien a passé l'hiver ici, sa ligne de trappe s'étend le long de la rivière Nitla. Un peu plus loin deux autres familles possèdent des huttes. Ils viennent tous d'achever la saison du castor et désirent revenir passer l'été au village.

Le P. Mary s'est installé sans façon dans la hutte sur un banc rustique et discute avec animation. Il parle le dialecte de la tribu des Slaves avec une volubilité déconcertante, il s'intéresse à tout, interroge la femme, les enfants. Phil Edda s'affaire à emballer son trésor, la lampe, les munitions, les armes, et surtout les provisions, la viande de castor séchée, le poisson. Sa dernière pêche sèche et fume sur un cadre de bois au-dessus d'un foyer exposé aux vents. Ses chiens, attachés à des piquets, se dressent et hurlent à notre arrivée, puis se recouchent, apaisés. Un des jeunes enfants nous conduit vers une chienne qui vient d'avoir une portée de petits chiots et qui gronde doucement en montrant ses crocs. Les

100

préparatifs du départ sont longs, la pluie continue à tomber. Le promontoire où nous sommes domine la rivière, très large en cet endroit; la vue sur les montagnes est belle, la respiration plus aisée après le sentiment d'étouffement que procurait la navigation entre les hautes berges boisées masquant tout horizon.

Quand tout est ficelé il faut charger, et ça n'est pas une petite affaire que de loger dans les huit mètres de l'embarcation Phil Edda, sa femme, leurs trois enfants, trois chiens, les petits chiots, les bagages et nous-mêmes. Le moteur lancé, nous descendons le courant, trois fois plus vite qu'à l'aller nous ne l'avions remonté, mais les eaux sont presque aussi rapides que nous et nous n'avons pas l'impression d'avancer. Le temps est toujours détestable, la lumière grise qui filtre sous les nuages éclaire étrangement les cimes des arbres. Enfin nous quittons la rivière Liard pour nous engager sur un bras secondaire de la Nahanni et bientôt nous accostons au village.

Edda fait descendre sa famille, ses chiens, ses bagages et s'en va sans se retourner, sans même un remerciement pour le P. Mary.

Celui-ci sourit de notre étonnement :

« Merci est un mot inconnu dans la langue indienne. Sa reconnaissance, l'Indien vous la manifestera d'une autre façon. Alors que vous n'y pensez plus il vous apportera un quartier d'élan, ou du poisson, et vous n'aurez pas vous-même à le remercier. »

A notre arrivée à la maison du P. Mary, nous sommes salués par de joyeux et puissants aboiements.

« Mes chiens, dit-il, j'ai oublié de les nourrir ! »

Il leur prépare une énorme pâtée dans un bidon d'essence vide de vingt-cinq litres : riz, farine, et quelques louches de nourriture composée. Il faut cuire ce mélange, le laisser refroidir longtemps.

Les chiens ne sortiront plus jusqu'à l'hiver. Ce sont de magnifiques « huskies », très bien traités, mais extrêmement sauvages. Pierre et moi nous efforçons de les apprivoiser, seul le chien de tête se refuse à nos caresses.

« Donnez-leur à manger vous-même, dit le père, c'est la meilleure façon de vous faire connaître. »

Au début il y eut souvent des gamelles renversées, mais par la suite les chiens nous obéirent au doigt et à l'œil, surtout à Pierre qui s'occupa d'eux régulièrement.

« Ces chiens sont une lourde charge, mais l'hiver le traîneau est le seul moyen de transport efficace. Je dois desservir Liard, Nahanni Butte, Lac la Truite, et au sud j'ai même des paroissiens en Yukon ! Ça fait du chemin. Du nord au sud près de huit cents kilomètres !

— La rivière doit offrir un chemin commode pour les chiens.

— Oui, mais nous coupons tous ses méandres, pour gagner du temps ; et puis il y a les tempêtes, la brume de neige, le froid, et, à la fin de l'hiver, au moment de la débâcle, les ponts de glace peuvent s'effondrer. Les bains forcés ne sont pas recommandés ! »

Pour avoir triomphé d'une tempête exceptionnelle au cœur de l'hiver, le P. Mary s'est retrouvé avec le visage gelé au deuxième degré, et un œil abîmé ! Comme il ne se soigne que par le mépris il en souffre encore régulièrement, mais n'en laisse rien paraître.

Les chiens nourris, nous goûtons le calme reposant de la Mission. Le poêle chauffe bien, il y a l'électricité, et malgré sa rusticité cette pièce sommairement meublée est très confortable.

Le père est heureux, l'orage de la nuit précédente a rempli les fûts d'essence vides qui recueillent l'eau de la toiture, nous en possédons ainsi une centaine de litres, inutile d'aller en chercher à la rivière.

Cette nuit nous la passerons à discuter de la Nahanni.

Par bribes de phrases entrecoupées de longs silences, le P. Mary raconte :

« Je vous l'ai dit, tout a commencé avec la ruée vers l'or, à la fin du siècle dernier. Dawson était un simple campement jusqu'au jour où un prospecteur, en lavant les sables de la rivière Klomdike, découvrit une pépite. Dès lors, et pendant plus de vingt années, les aventuriers vont se ruer vers ces terres gelées, à la conquête du nouvel Eldorado. En quelques mois Dawson devient une cité prospère, avec des banques, des bars et même un théâtre. Bref, tout ce qu'il faut pour faire passer directement l'or des poches des prospecteurs dans celles des commerçants ou des spéculateurs.

« Joindre Dawson, à l'époque, n'était pas une petite affaire. L'émigrant devait gagner Skagway, par la voie maritime, à travers l'énorme archipel connu actuellement sous le nom du « Doigt », cette excroissance de l'Alaska vers le sud. C'est à Skagway que s'organisaient les convois, à pied, en traîneaux à chiens, certains poussant leurs bagages dans une brouette. Le premier obstacle était le fameux White-Pass, un col facile pour nous, mais qui était la terreur des aventuriers ; le col franchi, on se trouvait sur le versant oriental de la chaîne côtière ; toutes les rivières descendent de là vers le Yukon. Il fallait alors construire des canots, ou les louer, franchir les rapides, faire des portages exténuants. Eh bien, malgré toutes les difficultés accumulées, des hommes audacieux, pressés par la fièvre de l'or, passaient et réussissaient.

« Dans la première décennie du xxᵉ siècle, la prospection de l'or dans le Grand Nord américain et plus particulièrement dans les montagnes Rocheuses devint quasi générale. Délaissant la voie du Yukon, des hommes pensèrent trouver une voie plus courte dans le Mackenzie et ses grands affluents qui coulent vers le nord. Tous les disparus, les rescapés comme Gus, Turner ou Fayler, venaient du Sud. Au fil des années, ils ont descendu soit la Peace River soit la Slave River ou la Liard et, arrivés au confluent de cette dernière avec la Nahanni, ils ont découvert que la Nahanni, coulant du nord au sud, semblait pénétrer fort loin dans les montagnes. En la remontant, ils se heurtèrent aux terribles rapides qui commencent aux portes mêmes de la montagne, à Hot Springs, à cinquante miles en amont d'ici.

« Rien ne les arrêtait. A l'époque on ne tenait pas registre des passages, on ne s'étonnait pas notamment de la disparition des hommes qui s'élançaient vers le Nord, jusqu'au jour où le prospecteur Charles McLeod résolut de retrouver la trace de ses frères disparus en remontant la Nahanni. Il franchit le Premier cañon, déboucha dans une très vaste vallée intérieure, toute boisée, où la rivière s'étalait en multiples bras, et sur un éperon de la rive gauche il découvrit la cabane de ses frères, à l'intérieur de laquelle gisaient deux squelettes décapités. Les crânes avaient disparu ; Charles identifia tout de suite les victimes grâce aux scalps blonds et bruns de ses frères qui gisaient, intacts, à côté des ossements. Persuadé qu'ils avaient été attaqués et scalpés par les Indiens, il revint annoncer la nouvelle. On était en 1905. La vallée fermée porte depuis ce jour le nom de « Deadmen Valley », la Vallée des hommes morts.

— Vous y croyez, mon père, à cette histoire de scalps ?

— Non ! Avec le recul des années, on tente d'expliquer la mort des frères McLeod d'une façon plus naturelle. La région est infestée d'ours, peut-être les deux hommes étaient-ils déjà morts de faim ou de maladie lorsque les ours pénétrèrent dans la cabane. C'est en les dévorant qu'ils ont sans doute scalpé les corps, délaissant les chevelures...

— Mais les crânes ont disparu !

— Un ours est fort capable d'emporter morceau par morceau des quartiers de viande dans son repaire.

— Mais les Indiens...

— Les Indiens n'avaient aucune raison de se rendre là-haut. Ils n'avaient à l'époque que des canoës d'écorce, incapables de résister aux rapides. Ils auraient pu passer l'hiver, avec leurs chiens, mais l'Indien est indolent, pourquoi irait-il chercher à travers mille dangers ce qu'il a à sa portée dans l'immense forêt qui nous entoure ?

— On a parlé de hors-la-loi...

— Je défie un hors-la-loi de vivre sans contact avec le reste du monde plus d'une année dans la Nahanni supérieure ! Il sera toujours à la merci de la famine. C'est sans doute la faim et l'épuisement qui ont causé la disparition de beaucoup de personnes... à moins qu'elles ne se soient noyées, comme ce fut le cas pour quelques-uns dont nous avons pu retracer la fin tragique.

— J'ai lu le récit de quatre Français audacieux qui ont effectué la première descente intégrale de la Nahanni en 1965 depuis ses sources : Jean Poirel, Bertrand Bordet, Claude Bernardin et Roger Rochat[1]. D'après eux voici la liste des victimes connues : premières victimes les hommes sans tête, les frères William et Frankie McLeod, morts sans doute en 1904, retrouvés en 1905 ; le prospecteur Jorgensson mort au confluent de la Flat River, vers 1910...

— 1910 ou 1914... il a été retrouvé avec une balle dans le corps, probablement assassiné par un prospecteur rival, désireux soit de lui voler son or, soit de prendre ses provisions... la rivière n'a rien à voir là-dedans !

— Je poursuis : en 1926 c'est la disparition d'une femme, Annie Laferté ; en 1928 Fisher, dont on retrouva le squelette ; en 1929 Hall ; en 1931 Phil. Powers...

— Ses ossements ont été découverts dans une cabane incendiée à la Flat River, là aussi il y a peut-être eu crime.

— En 1936 (c'est toujours la liste recueillie par Poirel que je consulte) on signale la disparition de Eppler et Mulholland ; en 1940

---

1. Le récit de cette expédition a paru sous le titre *Victoire sur la Nahanni* (Flammarion, 1968).

Ollie Hombert meurt de faim, ainsi que Shebacch en 1949. Que sont devenus Hormly, Adlard, Christian, disparus en 1950 ?

— Voyez-vous, jusqu'à preuve du contraire, tous ces disparus dont on a pu retrouver les traces sont généralement morts de faim. Ceux qui ont été assassinés l'ont certainement été par leurs coreligionnaires, non par les Indiens. Les Indiens ne vont pas dans la montagne... s'ils y vont maintenant c'est pour servir d'auxiliaires aux missions de recherches géographiques, pétrolières...

— On parle d'une vingtaine d'autres disparus non identifiés.

— C'est possible, cela ne peut qu'accroître la malédiction qui pèse sur la Nahanni, c'est la malédiction des hommes, ce n'est pas celle du fleuve.

— Mais le martyrologe continue ; il y a les trois explorateurs suisses Wolfgang Mahmcke, Fritz Weisman et Manfred Wutrich...

— Ceux-là, on le sait, sont morts dans les rapides, sans doute en franchissant « Hell's Gate », la Porte de l'Enfer, en aval des chutes Virginia ; on a retrouvé leur canot écrasé jusqu'en son milieu, ce qui prouve qu'il a percuté la roche de plein fouet. Certains situent l'accident aux premiers rapides en aval des chutes, mais personne ne pourra jamais rien affirmer.

— Il y a aussi un solitaire nommé Mackenzie, noyé sans doute.

— Et depuis un mois vous pouvez ajouter trois noms. Trois jeunes gens de Fort Smith, désireux de survoler les mystérieuses chutes Virginia, se sont écrasés sur une montagne à proximité des « Falls ». Volaient-ils trop bas ? Ont-ils été pris dans un rabattant ? Etaient-ils trop chargés ? L'enquête est en cours.

— Au total quarante-quatre victimes, connues tout au moins.

— Ça ne vous donne pas l'envie de renoncer à votre projet ? suggère le P. Mary.

— Notre ambition n'est que de remonter jusqu'aux chutes Virginia. Cela a été fait, c'est donc possible...

— C'est faisable mais ce n'est pas toujours possible.

— Expliquez-vous !

— Tout dépend du niveau des eaux : si les eaux sont hautes le courant est terrible, mais par contre certains passages sont facilités car le lit de la rivière est plus large et on peut mieux choisir son passage ; si les eaux sont basses, la navigation est facile dans les biefs, mais très dangereuse dans les rapides car le courant déferle dans un lit étroit et ne permet pas de s'en évader... Et comme ça varie chaque jour, c'est une affaire de nez...

— Et aussi de bateau !

— C'est bien là le problème. Il faut un bateau lourd et solide pour résister aux chocs, il faut un très faible tirant d'eau, donc une barque à fond plat, enfin une barge capable d'emporter les réserves de carburant nécessaires pour l'aller et le retour, ça fait du poids ! »

Il réfléchit longuement.

« Laissez-moi une semaine pour m'organiser. On pourra peut-être partir. Voulez-vous venir avec moi à Liard demain ? Le poste est à cent miles (cent soixante kilomètres) au sud en remontant la rivière ; ça prend entre six et neuf heures selon le courant... on ira peut-être plus vite, d'ailleurs j'ai une idée. »

Son idée, il la garde pour lui. Nous reprenons la conversation :

« Cette grande réussite des Français, qu'en pensez-vous ? »

Il fait la moue, visiblement il n'approuve pas complètement cette expédition.

« D'accord ! Ils ont réussi. Mais ça sert à quoi ? Ils n'ont pas descendu la Nahanni, ils se sont laissé dériver dans leurs dinghys circulaires en caoutchouc, absolument ingouvernables. La partie supérieure avait été cartographiée, reconnue par des reconnaissances aériennes ou d'hélicoptère ; bref, on savait tout du cours de la Nahanni. Les hardis pionniers qui, comme Albert Fayler, ont réussi à remonter sur quelque trente miles au nord et en amont des chutes ont déclaré que la rivière cessait d'être navigable à cet endroit, en raison du peu de profondeur de son lit, beaucoup plus qu'à cause de ses rapides qui sont moins dangereux que ceux des cañons du cours moyen... La preuve ! Partis du même

110

point les Français n'ont pu se retrouver qu'aux chutes Virginia, après avoir effectué sans pouvoir se joindre ni se rencontrer plus de cent cinquante miles sur la rivière. Ils ont échappé à la noyade, mais ils ont failli mourir de faim.

— En tout cas ils ont passé, mon père, et Pierre et moi nous trouvons cela formidable. Ne serait-ce que par l'énergie à survivre qu'ils ont montrée et qui a compensé ce qu'avait eu de léger leur préparation.

— Un exploit sportif !

— Allons, mon père, un exploit humain. Il n'y a pas d'exploit inutile lorsque l'homme cherche à savoir jusqu'où il peut aller.

— D'accord, mais ils ont eu beaucoup de chance de s'en tirer vivants.

— Ce qui accroît encore leur mérite. Enfin ils ont en quelque sorte dissipé la malédiction de la rivière puisqu'ils ont réussi à triompher des obstacles et de la faim.

— Pourquoi toute cette publicité autour de leur voyage ? Ces panneaux-réclame avec lesquels ils se faisaient photographier...

— Voyons, père Mary, vous ne vivez pas avec votre époque ! Comment auraient-ils pu entreprendre leur raid, sans appui, sans argent ? Cela implique des contrats, des engagements à tenir. L'aventure est devenue difficile. On ne peut rien faire sans argent, malheureusement... Se faire parachuter au mont Christie, pour tenter cinq cents kilomètres d'inconnu, c'est en soi-même assez remarquable. Non, père Mary ! Si en vieil aventurier je me permets de critiquer certains détails de leur expédition, notamment le fait même de se laisser filer au courant d'une rivière dont on ne connaît les dangers que par ouï-dire et sans les avoir reconnus, sur une embarcation ingouvernable, j'admire en tout cas l'ingéniosité qu'ils ont prouvée en se tirant de situations particulièrement délicates. En tout cas leur exploit n'est pas banal, et Pierre et moi nous y applaudissons de tout cœur. Même s'il ne prouve rien, même s'il ne sert à rien. C'est vraiment la conquête de l'inutile dont parlait Lionel Terray. Ils sont frères des alpinistes. »

Le P. Mary rit franchement, sa figure s'éclaire, il devient malicieux...

« Et si je vous disais aussi : à quoi ça sert de gravir les montagnes ?

— A rien, qu'à se prouver qu'on peut les gravir...

— Il est tard, l'écrivain a besoin de dormir, dit-il sarcastique. On parlera de la Nahanni quand on sera dessus ! »

III

FORT LIARD

Nous devions partir le lendemain dans la matinée, mais le P. Mary, invisible, exerçait son sacerdoce, parcourant le village, allant d'une famille à l'autre, discutant de la santé des gosses, du résultat de la chasse, dans ce difficile dialecte slave dérivé du montagnais, qu'il parle aussi bien que sa langue maternelle, ce qui lui confère un avantage indiscutable sur tous les Blancs qui viennent ici, administrateurs, policiers, ou instituteurs. Dans la grande pièce de sa maison c'est un défilé continuel d'Indiens ; les enfants surtout entrent ici comme chez eux, s'installent, font marcher l'électrophone, lisent des « comics », puis repartent aussi brusquement qu'ils étaient venus, sans dire un mot.

La matinée se passe dans une attente impatiente ; puis, vers quatorze heures, le P. Mary revient et, tout souriant, nous prie de l'excuser. (Pourquoi, mon Dieu ! c'est nous qui devrions

nous excuser de lui causer des soucis sup-
plémentaires !)

« Ça y est, dit-il, on embarque ! »

Son bateau est amarré à une souche ; le
père discute avec le « genitor », ce jeune
Indien du nom de Matitou, qui a toute sa
confiance.

« Matitou, tu me prêtes ton bateau, le mien
n'est pas assez large pour mettre deux moteurs
à l'arrière. Tu prendras le mien si tu en as
besoin. »

Pacte conclu.

On effectue le transfert des moteurs, on
place sur la barge courte et large de l'Indien
deux puissants hors-bord de 35 ch. Il faut
ensuite embarquer la quantité d'essence suffisante.

« Combien dure le voyage ?

— Ah ! ces amateurs de précision ! Ça dépend, je l'ai fait en cinq ou six heures quand
tout allait bien, d'autres jours il m'a fallu
dix heures ! Sur la rivière on ne sait jamais.
Qu'en dis-tu, Konisenta ? »

Konisenta a les yeux fixés sur le courant.
La Nahanni a fortement monté depuis deux
jours, son lit s'est agrandi d'un tiers et on
ne voit plus aucun banc de sable. L'Indien
est confiant.

« Les eaux de la Liard arriveront ici avec
un jour de retard. »

Cela signifie que nous ne rencontrerons pas
la crue avant Fort Liard.

Phil Edda doit retourner à Nitla, nous les y déposerons, lui et sa carabine.

Manœuvrer deux moteurs accouplés n'est pas une chose facile. Pierre photographiant, je dois m'en occuper. Le P. Mary me donne ses instructions. C'est la première fois que je touche la manette d'un hors-bord. Il s'agit de faire tourner les deux kickers à la même vitesse.

Nous nous éloignons de la rive à l'aide d'un aviron, le courant nous prend ; les deux moteurs partent bien, nous nous engageons à nouveau dans le petit bras de la Nahanni qui se déverse dans la Liard un peu au sud du confluent. On dirait un marigot africain. Les arbres plongent leurs racines dans le fleuve, les rives sont encombrées de bois flottés, les écueils nombreux. Soudain l'un des moteurs se met à tousser, perd sa puissance et s'arrête. La barque tourne sur elle-même.

« Continuez à gouverner avec l'autre moteur, dit le P. Mary. C'est une bougie encrassée ! »

Il relève le hors-bord, sort sa boîte à outils, démonte sa bougie, nettoie, lime, tandis que je m'efforce de diriger la barge. Celle-ci a tendance à virer sur place, surtout lorsque le moteur est décentré, comme c'est le cas, mais je me familiarise assez vite avec sa conduite et nous poursuivons, remontant maintenant le cours de la Liard, et ses interminables méandres. Au nord la coupole enneigée de la Butte s'élève au-dessus de la forêt ; parfois le fleuve est assez large pour dégager le panorama bouché à l'horizon de l'ouest par la muraille des Rocheuses.

A Nitla, Phil Edda saute à terre et s'éloigne sans mot dire. Nous savons déjà que les Indiens ne savent pas dire merci. Tout ce que le P. Mary fait pour eux leur paraît normal ; son aide, son assistance, ses bienfaits leur sont dus.

« Ne suis-je pas là pour ça ? » nous dit le père.

A mon avis, ils ont tendance à abuser de sa bonté.

Le voyage jusqu'à Fort Liard nous prendra cinq heures, car malgré les deux moteurs il y a des zones où le courant devient assez fort pour nous retarder. Le paysage est immuable, nous avons l'impression de n'avoir pas beaucoup avancé en direction du sud, la Butte ne bouge pas de l'horizon, la Liard Range déroule du nord au sud sa muraille de faille, une crête festonnée interminable. Peu à peu je « comprends » mieux la rivière, et j'essaie de me diriger sans avoir recours aux conseils du P. Mary. Il me laisse faire mais parfois il se saisit brusquement du gouvernail et donne un coup de barre : là rien, pourtant, ne me signalait un écueil. Si ! il y a, paraît-il, sous les eaux un banc de sable sur lequel nous risquons de nous échouer. Une énorme forêt de spruces se profile sur la rive droite, les arbres ont des fûts de trente mètres qui dominent un talus vertical d'une vingtaine de mètres constamment sapé par les crues ; le P. Mary réduit la vitesse.

« On va dire bonjour à Marie Thomas. »

Nous apercevons une cabane de rondins à peine visible sur la lisière de la forêt ; au pied de la berge un canot métallique amarré à une souche se balance dans le courant. Nous escaladons la rive abrupte, mur de terre glissant d'argile mouillée. Tout ici suinte l'humidité.

Des chiens attachés à leurs chaînes se mettent à hurler furieusement ; nous nous faufilons jusqu'à une clairière où gisent pêle-mêle tous les trésors de l'Indien : son traîneau à chiens, un moteur en pièces détachées, des caisses, des pièges à fourrure, des outils. Sur deux troncs de sapins coupés à trois mètres de hauteur s'élève la « cache », la réserve de viande, mise ainsi à l'abri des fauves. Sur un cadre de bois des poissons dépouillés, des quartiers de viande de castor, sèchent au-dessus de la fumée d'un feu de bois. Toutes ces huttes d'Indien se ressemblent, rectangulaires, avec, en entrant à gauche le foyer, puis, derrière le poêle, le lit commun qui n'est qu'un amoncellement de couvertures sur un cadre de bois, une table, un banc, une lampe à pétrole, un fouillis d'objets inutiles pour nous, précieux pour les Indiens ; c'est tout.

Le jour pénètre par de petites fenêtres taillées à même les rondins des parois, et par ces ouvertures on peut surveiller le fleuve sans sortir de la hutte.

C'est là, à mi-chemin entre Nahanni et Fort Liard, que vit le chef des Indiens slaves de la région : Albert Thomas (j'ai oublié son nom indien). Pour l'instant le grand chef est à la chasse, dans l'épaisse forêt qui s'étend à l'infini vers l'est. Marie, sa femme, est seule ; elle se plaint au P. Mary d'être malade, désire être hospitalisée. Lui s'assied sur le rebord de son grabat, et tous deux parlent longuement haut et fort, accompagnant leurs phrases de mouvements de bras. Nous écoutons cette langue bizarre qui vient du fond des âges.

Plus tard le P. Mary se dresse, vif comme l'argent.

« Venez ! on repart. »

Il salue une dernière fois l'Indienne, mais en anglais cette fois.

Nous détachons la barque, le courant nous emporte à la dérive, puis les moteurs tournent à nouveau et nous piquons vers le sud.

Le cadre est grandiose, la rivière ressemble à un lac bordé par la forêt et qui se déplacerait en même temps que nous.

Nous nous sommes rapprochés de la chaîne de la Liard, les montagnes nous suivent parallèlement sur la rive gauche puis s'abaissent peu à peu pour s'enfoncer comme un épieu sur l'horizon.

« Liard est au bout de cette chaîne de montagnes ! Nous avons encore cinquante miles à parcourir, dit le P. Mary ; mais maintenant ce sera plus direct, fini avec les boucles ! »

Les deux moteurs tournent rond maintenant et le pilote compte les miles : encore vingt, encore dix ; à droite et à gauche ce n'est qu'un lacis de canaux secondaires.

« Lorsque les eaux sont assez hautes, on peut gagner beaucoup de temps, par les raccourcis, mais aujourd'hui, nous devons faire le grand tour », constate le missionnaire.

La dernière partie de la rivière est beaucoup plus rapide et resserrée, la chaîne des montagnes enneigées qui nous accompagnait depuis le début est devenue une simple colline boisée aux versants abrupts qui repoussent la Liard et ses eaux contre la grande plaine forestière de l'est. C'est un combat incessant entre la montagne et la plaine, avec le fleuve comme ligne de démarcation.

« Fort Liard ! » dit brièvement le P. Mary.

Une rangée de huttes indiennes s'aligne au-dessus de la berge, précédant des bâtiments officiels sur lesquels flotte le drapeau blanc à feuille d'érable ; la forêt mord à présent sur la berge, séparant le village en deux, puis apparaît une construction insolite, surmontée d'un clocheton qui rappelle un cottage anglais du début du siècle.

« La Mission ! »

Des tranchées taillées dans les berges permettent l'accès sur le plateau fluvial; la Mission a été bâtie à la pointe nord du vieux village indien, à l'écart du centre administratif, elle a été construite avec soin et donne l'impression d'un confortable presbytère de la province de Québec. Un large parloir destiné à accueillir les visiteurs est régulièrement envahi par les Indiens. Un petit salon, une chapelle et deux chambres au rez-de-chaussée, d'autres chambres et un atelier à l'étage, complètent cette confortable installation. Il y a même une salle de bain, mais sans eau chaude, c'est le dernier souci du père. Dans le petit salon se trouve le poste émetteur de radio. En général les pères ont des vacations régulières que le P. Mary oublie involontairement. Pourtant, ce soir, nous entrerons en contact avec Fort Simpson et le P. Pocet.

« Alors ! vous l'avez trouvé ce P. Mary ? Bonne chance... »

Cela nous ramène à nos projets... Nous en discutions lorsqu'une charmante jeune femme entre sans frapper et salue le missionnaire d'un joyeux : « Hello, Father Mary ! »

C'est l'assistante sociale qui s'occupe de l'infirmerie. Elle ne restera que les mois d'été mais elle se passionne pour sa tâche et accompagne le missionnaire dans ses visites. La soirée se passe en longs bavardages, coupés parfois par l'arrivée d'un Indien qui entre, s'assied, échange quelques mots et repart comme il était venu.

A peine le P. Mary a-t-il ouvert la porte de

la Mission que des gamins l'envahissent, se précipitent sur les illustrés, les livres, les journaux qui encombrent la table. L'absence du père les prive en effet de leur distraction favorite. Et puis il y a toujours ici quelque chose à glaner, des bonbons, du chocolat, du café ; cette pièce, c'est pour eux le paradis.

Demain matin nous irons voir le policier. Le télégraphe de brousse n'aura pas manqué de lui annoncer notre arrivée. Puis nous compléterons nos provisions à la « Bay ». Mais déjà il faut songer au retour.

« Voulez-vous passer la semaine ici, ou retourner à Nahanni ?

— Nous avions l'intention de profiter de cette semaine pour gravir la Nahanni Butte et faire des photos. Mais si cela vous dérange...

— Bon, on redescend après-demain matin, il faut que je voie Albert Thomas, le chef indien. Je vous laisserai à Nahanni et je reviendrai ici.

— Ça fait beaucoup de miles sur la rivière !

— J'ai l'habitude... Donc demain visite au policier, aux officiels ; c'est un brave type, le « Mounted », il a surtout un bon bateau et un bon moteur, l'Administration ne se refuse rien. Depuis le temps qu'il désire voir les chutes Virginia c'est l'occasion ou jamais... »

Nous avons dormi comme des loirs bercés par la rumeur inquiétante de la rivière.

On a très vite fait le tour de Fort Liard. Un chemin sur la berge traverse l'avancée de la forêt et rejoint le centre administratif. Nous retrouvons à la « Bay » l'administrateur de Fort Simpson en visite. Cet homme aimable et courtois sourit vaguement quand on lui parle de la Nahanni.

Je complète mes vivres, le P. Mary fait les nombreuses commissions dont il a été chargé par les Indiens de Nahanni. Les plus importantes sont des achats de disques. Matitou lui a donné le titre d'une chanson qu'il ne trouve pas... quelque chose comme « Lady Mary ».

« Il ne sera pas content si je ne la lui rapporte pas ! A propos, dit-il, nous sommes invités à prendre le café chez le policier cet après-midi. »

Le café, l'éternel breuvage insipide dont aucun Canadien ne saurait se passer... La recette ? une cuillerée à soupe de café en poudre pour dix litres d'eau ! Mais on ne peut refuser, c'est un rite, une obligation.

L'après-midi se passe en une courte promenade au confluent de la rivière Petitot et de la Liard. Une falaise de cinquante mètres domine la forêt et permet une plus juste appréciation du site. Quand on est sur la rivière les arbres masquent l'horizon et la forêt cerne les eaux comme un rebord de cratère.

Fort Liard ne doit son importance qu'à sa situation géographique. Bien que dépendant des Territoires du Nord, il est tout près de la British Columbia et du Yukon. Son prin-

122

cipal ravitaillement lui arrive de Fort Nelson, en British Columbia, par de lourdes barges automotrices qui descendent la rivière Nelson, puis la Liard jusqu'à Fort Simpson. La grande route de l'Alaska, la « Highway », venant d'Edmonton passe par Fort Nelson d'où elle continue sur Dawson. Actuellement un gisement de gaz a été trouvé dans la montagne à quelque cinquante miles de Fort Liard. Mais cette découverte ne semble pas avoir modifié la vie du poste. Tout s'est accompli en dehors de la routine habituelle. Les pétroliers ont installé à l'écart leur piste, leur héliport, leur campement. Si le gaz est évacué, il le sera directement vers la Colombie britannique.

Fort Liard ne connaît de vie que par ses Indiens. Ils habitent des huttes en rondins bâties au confluent de la Liard et de la Petitot. La grande saison du castor se termine ; devant chaque cabane les peaux tendues sur des cercles de bois sèchent au vent, pareilles à des tambourins. Selon sa grandeur une peau de castor vaut de vingt à cinquante dollars. Certains trappeurs ont fait une belle saison. La plupart sont retournés en forêt pour l'élan ! Chaque famille se disperse ainsi au long de l'année dans le bush, remontant en canoë les petits affluents de la rivière. Cela fait le désespoir de l'assistante sociale, qui nous dit avec amertume :

« L'école est vide, à peine cinq ou six élèves, les enfants des Blancs et des fonctionnaires indiens. Les autres on ne les voit que rarement, ils sont en forêt presque toute l'année et ne reviennent ici que pour vendre leurs peaux, acheter des provisions... Les Indiens que nous rencontrons dans le village sont des employés de l'Administration, de la *Forestry*, du *Water Service* ! »

L'après-midi nous nous présentons au logis du brigadier de la R.C.M.P. (Police montée), dont nous avons admiré avec envie la belle embarcation amarrée au ponton. C'est un solide et athlétique gaillard canadien anglais comme il est de règle dans la « Montée ». L'administrateur de Simpson assiste à nos entretiens. Pour faciliter l'entrée en matière nous exhibons les lettres d'introduction officielles qui nous ont été données aimablement par l'ambassade du Canada à Paris. Pour l'administrateur ces documents suffisent ; du moment que nous sommes couverts et patronnés par les plus hautes autorités nous pouvons faire tout ce que nous voulons. L'important est de décider le policier à nous accompagner. Lui est visiblement tenté par le voyage. Sa femme pas du tout ! Ils doivent se rendre à un bal officiel à Yellowknife, et pour rien au monde elle ne voudrait manquer cette occasion d'échapper à la solitude. Pourtant leur situation est enviable. Un simple brigadier de la Police montée est maître absolu dans son vaste secteur. Bien payé, bien logé, il vit dans un cadre aussi douillet et confortable qu'il pourrait l'être au Québec ou à Ottawa. Ce minimum de confort est absolument indispensable au Canadien, ce qui explique bien des choses. Comment connaître la vie du « bush », la mentalité des Indiens, lorsqu'on ne les fréquente que du haut de cette forme de vie moderne qu'ils ne sauraient comprendre ? Le P. Mary, lui, accepte leur pauvreté.

Il faudrait peu de choses pour rendre les huttes des Indiens aussi confortables que les habitations des Blancs, surtout dans ces villages comme Fort Liard où le courant électrique arrive dans chaque demeure. Mais l'Indien comme le Lapon, comme le Targui, comme tous les nomades que j'ai rencontrés ne considère sa maison que comme une tente provisoire, il ne s'y attache pas ; il s'y calfeutre l'hiver, mais dès que vient la belle saison, il vit dehors, il transporte devant la hutte la table, les chaises, le fourneau de cuisine, allume un grand feu de bois contre les moustiques, et se complaît dans cette âcre fumée d'herbes vertes.

L'administrateur nous quitte au milieu de notre visite, car un avion vient le prendre ; la piste invisible est à cinquante mètres de nous derrière un rideau d'arbres. Tout prétexte est bon pour se déplacer dans le Grand Nord. Mais je doute que beaucoup d'officiels aient parcouru le bush !

Le P. Mary a fait avec nous la tournée des

125

familles indiennes ; c'est pour moi une joie et un étonnement constants que de le voir opérer comme un charmeur qui apprivoiserait un animal sauvage ; discuter familièrement avec une vieille femme ou un enfant, s'accroupir à ses pieds dans l'herbe ou dans la boue, s'allonger sur un grabat, interroger, rompre le silence, lancer des boutades qui font rire, et sonder les âmes. Dès lors quoi de plus naturel que l'Indien se confie en premier au missionnaire, qu'il le charge de toutes ses requêtes ! Lui seul sait démêler la pensée confuse et tortueuse de ces nomades. N'est-il pas des leurs, depuis vingt ans qu'il partage leur vie, leurs chasses, leurs joies et leurs peines ? Le missionnaire reste, l'administrateur passe... tout est là.

De retour à la Mission, le P. Mary paraît soucieux, nous confie ses craintes, le policier n'a dit ni oui ni non !

« J'ai l'impression qu'il voudrait bien venir avec nous, mais il y a sa femme... le bal, le voyage dans la capitale... Laissez-moi faire, je trouverai une solution ; s'il ne veut pas venir, qu'il me prête son bateau, je leur rends assez de services ! »

Le lendemain matin, comme nous préparions le retour et roulions des fûts d'essence sur la berge, deux canoës métalliques légers apparurent, venant de l'amont et filant en plein courant, bâchés jusqu'au bord à la façon des kayaks et pilotés chacun par un homme

126

qui les dirigeait à la pagaie simple. Les étranges voyageurs firent de grands gestes du bras pour nous saluer puis les minuscules embarcations disparurent vers l'aval, happés par la forêt au premier tournant de la rivière.

Le P. Mary les suivit des yeux et parut réfléchir.

« Vous les connaissez, mon père ?

— Ceux-là aussi voulaient me voir. Je me demande ce qu'ils cherchent. Ce ne sont pas comme vous des explorateurs, je les soupçonne de chercher de l'or. Ils m'ont parlé de remonter la Nahanni ! Avec leurs joujoux ! C'est possible mais il leur faudra un mois. Le policier aussi se demande ce qu'ils viennent faire. Ils arrivent de la British Columbia... C'est ce genre d'hommes qui disparaissent mystérieusement sans laisser de trace... l'histoire de la Nahanni continue... vous verrez qu'on aura l'occasion de reparler d'eux. »

Quelques heures plus tard nous redescendions la rivière. Avec nos deux moteurs et aidés par le courant nous allions bon train mais il fallait d'autant plus se méfier des affleurements, des bois flottés ou des risques d'échouage. La longue chaîne montagneuse défilait maintenant sur notre gauche puis brusquement elle s'éloigna vers l'ouest et nous entrâmes dans la grande zone des méandres. De loin cette fois je reconnus la minuscule cabane d'Albert et de Marie Thomas. Un mouchoir fiché dans une perche signalait à l'initié la présence d'un campement. Nous accostâmes.

Albert était de retour. Il parle un excellent anglais mais, avec le père, il préfère s'entretenir en dialecte slave.

« Je vous présente le grand chef des Slaves de la Liard, dit le P. Mary. Un homme remarquable, mais pas très fort en mécanique. »

L'Indien avait démonté le « kicker » de son canot, et cherchait vainement à le remettre en état. Ce n'était pas le premier qu'il mettait à mal, d'autres moteurs gisaient abandonnés et rouillés dans la mousse épaisse du sous-bois. Le P. Mary se mit aussitôt à l'ouvrage. Il adore bricoler, ce qui ne l'empêche pas de pester tout en travaillant.

« Pas étonnant qu'il ne marche pas, ton moteur, Albert. Où as-tu mis le capot ? C'est tout rouillé là-dedans ! *(Il se tourne vers nous.)* Vous comprenez, c'est fatigant de dévisser chaque fois le capot de protection, alors on l'enlève une fois pour toutes et le moteur, les bougies, l'allumage, sont constamment mouillés... »

En plus, Albert avait cassé, ou perdu, la cordelette de lancement et il se servait d'une grosse ficelle incapable de remplir cet office. La réparation dura près d'une heure. Pendant ce temps Pierre et moi nous nous promenions dans le calme étrange de cette forêt. Une piste s'en éloignait vers l'intérieur, la « trapline » d'Albert sans doute. Les arbres, ici, atteignent une très haute taille, les spruces qui ressemblent à nos grands épicéas, avec des troncs plus fournis, et puis les liards, ces peupliers rugueux d'où la rivière tire son nom. La meute des chiens féroces, attachés par des chaînes de fer aux arbres de la forêt, nous donnait à chaque approche un véritable concert de hurlements que l'Indien faisait cesser d'un bref éclat de voix sans quitter son travail. Marie la vieille Indienne gisait dolente dans sa cabane, mais le P. Mary ne s'en étonnait pas.

« Elle joue la comédie pour aller passer quinze jours à l'hôpital de Fort Smith, bien nourrie, dans un bon lit. Moi ça m'est égal après tout, mais vous voyez ce que cela coûte ! Un avion spécial pour venir la prendre à Fort Liard, et un autre pour la ramener de Simpson... pour accomplir ce voyage le moindre prétexte est bon. Marie est très intelligente, elle a été élevée chez les sœurs, elle parle couramment l'anglais.

— Au fond la vie en forêt n'a plus d'attrait pour elle ?

— Détrompez-vous, à peine sortie de son bush elle n'aspirera qu'à y revenir. Que voulez-vous, les Indiens sont des nomades, un jour ici, l'autre là, ils n'aiment pas être fixés quelque part.

— Le moteur est-il réparé ?

— J'ai fait ce que j'ai pu, on va l'essayer. »
Nous les aidons à descendre le moteur jus-

qu'au canot de l'Indien. Mis en place sur le plat-bord arrière, il se refuse obstinément à partir. Le P. Mary se gratte la nuque.

« Il faut tout démonter à nouveau, nous n'avons pas le temps, je manque d'outils. Je reviendrai demain, Albert. »

L'autre sourit, approuve... Que le P. Mary refasse pour lui cent miles de bateau, c'est normal. N'est-il pas le bon Dieu des Indiens ?

Les rives défilent, alternant la crinière sombre des épicéas avec le feuillage vert clair des peupliers et des saules.

A Nitla nous mettons en panne au confluent des deux rivières. Un filet de pêche est tendu dans le courant.

« Ça vous dirait, du poisson, ce soir ? »

Pierre qui adore le poisson approuve énergiquement. Moi qui n'en suis guère friand, cela m'amuse de voir si la pêche sur la Liard est aussi miraculeuse que sur le Grand Lac des Esclaves.

Elle en est loin, encore que, le filet relevé, nous ayons ramassé une dizaine de poissons de un à deux kilos, des poissons-chats particuliers à cette rivière, du poisson blanc du genre féra.

La Nahanni Butte apparaît subitement dans le paysage à la sortie d'une large courbe. Nous approchons de l'endroit où nous devons prendre le marigot secondaire qui conduit directement au village, mais le P. Mary pousse tout droit sur le courant principal et nous arrivons ainsi au confluent de la Liard et du cours majeur de la Nahanni.

« Allons rendre visite à Dick Turner, le « trader ». Il sait que vous êtes là depuis plusieurs jours et il se froisserait que vous ne donniez pas signe de vie ; c'est le seul commerçant de la région et on peut dire que tout l'argent que gagnent les Indiens de la Nahanni retombe dans son coffre. Un type d'aventurier intéressant à étudier pour un écrivain », ajoute-t-il en me regardant de biais.

Dick Turner vit ici depuis une vingtaine d'années après avoir comme bien d'autres suivi les rivières qui mènent à ce bout du monde. C'est certainement le commerçant le plus isolé du Grand Nord canadien. Plutôt que de s'établir en plein village il a construit sa maison sur la rive gauche de la Nahanni, au pied même de la Butte et de la grande forêt qui s'élève en pente douce jusqu'aux éboulis et falaises de la Nahanni Range. Pour s'y rendre il faut contourner une île, et accoster dans un bras plus calme devant un appontement qui doit permettre de décharger des lourdes barges les vivres, les outils, le carburant, tout ce qui fait l'objet de son commerce et qu'il revend ou échange contre des fourrures.

Une embarcation échouée, une autre plus légère amarrée à une ancre jetée dans la vase, signalent l'emplacement de la maison cachée derrière un épais rideau d'arbres. On y accède par une trouée dans la forêt ; là, au milieu d'une clairière défrichée, s'élève une très vaste construction en rondins, qui, n'étaient ses dimensions exceptionnelles, s'apparenterait à tout ce qui se bâtit dans le bush.

Un magnifique chien-loup bondit vers nous en aboyant, mais se calme tout aussitôt à l'appel de sa maîtresse. Sur le seuil, une femme d'une cinquantaine d'années, distinguée d'allure, nous invite à entrer. Toute sa personne est extrêmement soignée. Elle sait qui nous sommes mais ne le montre pas. Elle nous attendait, on ne passe pas à Nahanni Butte sans rendre visite au « Trader ».

« Hello Father ! What a good surprise. Come in ! »

Nous abandonnons nos bottes dans l'entrée et pénétrons en chaussettes dans la grande cuisine salle à manger au plancher bien ciré, aux meubles confortables. Dick Turner et son fils sont là, le père, comme on l'imagine ; la soixantaine, grand, sec, une belle figure de condottiere, intelligente et rusée ; le fils dans la trentaine, solide gaillard sympathique répondant au nom de Donald.

« Vous arrivez directement de Fort Liard, par bateau ? Vous n'avez pas eu froid ? La rivière était-elle bonne ? Vous devez avoir faim. Si, si ! »

Impossible de refuser.

Vera s'affaire autour de son fourneau, une gigantesque cuisinière à mazout, avec fours perfectionnés, digne d'une grande pension de famille, l'orgueil de sa maison, semble-t-il. Turner nous fait passer dans le living-room et là, nous restons béats d'admiration.

Ce n'est plus le logement traditionnel du Canadien, confortable et impersonnel. Dans l'immense pièce où nous nous trouvons, éclairée par de larges baies, munies d'un fin grillage contre les moustiques, une lumière dorée ruisselle sur les troncs vernis des parois. Tout ici révèle la présence d'une femme de goût. Certes les trophées de chasse y tiennent une grande place mais ils sont de qualité ; sur les parois sont accrochés un massacre de mouton des Rocheuses aux magnifiques cornes en spirale, et une tête naturalisée de la fameuse chèvre blanche des montagnes, le gibier le plus rare du Canada ; sur le parquet ciré s'étalent deux grandes peaux d'ours aux griffes menaçantes, un grizzly à la crinière argentée, un bel ours noir, au pelage de velours sombre. Des fauteuils, des rideaux, des tentures ; sur une commode des agrandissements photographiques ; dans un angle un électrophone moderne, et sur un grand panneau, l'indispensable râtelier d'armes. Un décorateur n'eût pas mieux fait. Nous félicitons Dick Turner. Comment a-t-il réalisé cet ensemble harmonieux, si loin de tout, dans ce bush sauvage ? Car ce n'est plus une simple hutte de trader, c'est le véritable home anglais. Vera Turner, d'origine britannique, ne songe plus à repartir. La solitude ? N'a-t-elle pas son mari, son fils ? Et puis Dick Turner n'est pas un trader comme les autres. Il a certes son magasin construit à quelque distance de sa maison, où viennent se ravitailler les Indiens, mais il travaille aussi pour les géographes, les géologues, les pétroliers, il les ravitaille, les transporte à bord de son avion personnel, quand ce n'est pas son fils qui s'en charge. Car ils possèdent deux avions. Dick a fait défricher une bande de terrain dans la forêt pour son seul usage. L'avion lui permet toutes les évasions. En une heure de vol il est à Fort Simpson, en trois heures à Nelson en Colombie britannique, où, profitant de l'afflux provoqué par la route de l'Alaska, il a ouvert un comptoir fructueux. Il s'intéresse tout particulièrement aux recherches pétrolières et dispose naturellement d'un poste émetteur-récepteur de radio, qui le tient au courant des événements mondiaux. Cependant il parle de vendre son affaire. Cela inquiète beaucoup les dirigeants du Grand Nord, car il tient le marché indien de la région. C'est un homme indispensable, bien que certains jugent qu'il profite un peu trop de la situation... Mais ne dit-on pas la même chose de la puissante « Bay d'Hudson » ? N'est-ce pas un mal nécessaire ? Il fournit l'essence à toute la contrée, et nous savons que le moindre « kicker » est un dévoreur de carburant. Turner, avec ses nombreuses relations, se débrouille merveilleusement. Alors que les réserves d'essence officielles n'étaient pas encore arrivées à Nahanni Butte, et que le village risquait d'être privé de courant, la première barge qui a descendu la Nelson était affrétée par Turner. Mais il ne chôme pas. Il a abandonné depuis longtemps l'usage des traîneaux à chiens et même du bateau sur le fleuve. L'avion c'est sa bicyclette et son camion, son fils Donald le remplace quand il n'est pas disponible, à moins qu'ils ne partent tous les deux en même temps.

Demain, Dick ira à Nelson, à mille kilomètres au sud, et Donald se rendra à Yellowknife ou à Hay River, à la même distance vers l'est.

Vera nous a préparé en quinze minutes un succulent repas, elle fait elle-même un pain, qui ressemble à de la brioche. Puis nous reparlons des deux mystérieux canoéistes.

« En tout cas, dit le P. Mary, on n'a pas l'impression qu'ils voyagent ensemble. Quand nous les avons croisés sur la Liard, le premier canot était au moins à quinze miles de l'autre, et loin de naviguer de concert on aurait dit qu'ils cherchaient à s'éviter... Etrange pour un pareil voyage, surtout sur cette rivière où il vaut mieux être deux que tout seul...

— Je les verrai sûrement », conclut Dick. Naturellement, où iraient-ils se ravitailler ?

Nous finirons la soirée à Nahanni, chez l'instituteur. Arrivé à l'automne de Toronto, il n'avait jamais mis les pieds dans le Nord.

Gentil et serviable, mais visiblement désinté-
ressé de sa profession. Peu lui importe que
les petits Indiens viennent ou ne viennent
pas à l'école. En trois semaines nous n'avons
jamais vu la classe fonctionner.

« Il n'est pas fait pour ce pays », dit le
P. Mary.

Au débarcadère, Matitou et sa jeune femme
ont appris avec consternation que le P. Mary
ne leur a pas rapporté la chanson promise.
Il a pu se procurer les pièces de rechange
indispensables pour les moteurs, il rapporte
des provisions, du courrier, mais rien ne
saurait compenser ce disque. Matitou, grand
bricoleur, a installé un électrophone qui fonctionne dans sa hutte vingt heures sur vingt-
quatre ; pour en profiter quand il vit dehors,
il a posé sur la paroi de la hutte un haut-
parleur qui, inlassablement, dans le silence
étrange de ce village indien, hurle les airs à
la mode, pour notre supplice et sans doute
pour le bonheur de tous les Indiens, grands
et petits.

Le P. Mary repart le lendemain pour Fort
Liard, il nous laisse la garde de sa maison.
Les chiens à qui nous donnerons chaque soir
leur pâtée commencent d'ailleurs à s'habituer
à notre présence et certains sont devenus
affectueux. Seul le chien de tête demeure
résolument hostile. Un jour il a brisé sa
chaîne et il a fallu toute une journée pour
le reprendre.

Notre projet, en attendant le retour prévu du P. Mary pour la semaine suivante, c'est de monter à la Nahanni Butte.

Cette lourde coupole calcaire nous nargue ; à force de l'avoir constamment devant soi on éprouve le besoin de la gravir. De plus, pour avoir examiné d'excellentes photos du P. Pocet prises au sommet, nous savons que c'est un belvédère incomparable. L'ennui c'est que nous n'avons pas de chaussures de marche. Outre les bottes indispensables pour la rivière, nous n'avons emporté que des après-skis souples et chauds. Mais l'ascension n'est pas terrible, nous nous en accommoderons.

IV

L'ASCENSION DE LA BUTTE

La journée qui commence est radieuse et chaude. Sur les flancs de la Butte, la neige des derniers jours a presque disparu. A peine si quelques névés subsistent sur les combes du sommet. Le P. Mary a préparé son bateau, mais avant de s'éloigner il nous confie un canoë métallique que lui a prêté Konisenta :

« Vous pourrez vous en servir autant que vous voulez, mais attention au courant. Si vous désirez traverser la rivière, remontez d'abord dans le contre-courant provoqué par les remous le long de la berge le plus haut possible, et ensuite traversez en biais. Sinon vous vous retrouverez à un mile plus bas. Je vais d'ailleurs vous remorquer jusqu'au point du rivage d'où on aborde généralement la montagne. Ça vous gagnera une heure ! »

Nous accostons dans une petite crique, rocheuse, au point précis où la falaise semi-circulaire de la Nahanni Butte vient plonger dans la rivière. La ligne de crête de cette falaise constitue le chemin d'accès. Il y a paraît-il une petite trace suivie par les Indiens lorsqu'ils vont chasser l'ours ou l'orignal dans la forêt.

Avant de partir nous avons beaucoup discuté avec le P. Mary sur la nécessité d'emporter une arme. D'après le missionnaire, et c'est aussi l'avis de Dick Turner, nous ne risquons de rencontrer que des ours noirs, nullement dangereux si on les laisse tranquilles. Se méfier simplement d'une ourse avec ses petits...

« Pour plus de sécurité prenez ma 22 long rifle... »

Il possède bien une forte carabine 303, mais il ne nous la conseille pas. Que ne l'eût-il fait !

« Elle est lourde. Ensuite vous n'avez pas de permis de chasse. Mais vous pourrez toujours tirer si vous êtes en danger. »

Nous avons amarré solidement à une souche le petit canoë dont nous aurons besoin pour retraverser la rivière ce soir.

Le sillage du P. Mary a disparu dans le petit bras de la Nahanni. Nous savons qu'il remonte jusqu'à Liard pour nous rendre service. Il lui reste à décider le policier à nous prêter son bateau et ce ne sera pas facile. Et puis il s'arrêtera au campement d'Albert Thomas pour réparer le moteur de l'Indien, se chargera de nouvelles commissions, poursuivra sa route, seul, les yeux fixés sur les reflets moirés de l'eau qui dénoncent un écueil caché...

« On y va ! » dit Pierre.

Son sac déborde d'appareils photos, de films ; il ne m'a laissé à porter que la petite carabine et la gourde d'eau, plus une musette de provisions.

La « Butte », c'est une montagne « à vaches » ! 1 526 mètres ! Mais tout est relatif ; l'altitude de la rivière étant d'environ deux cents mètres, il reste 1 200 mètres à gravir plus un long cheminement sur la crête de la falaise.

Le beau temps est revenu mais avec la chaleur excessive de ce pays, où tout est hors de la normale. Nous gravissons rapidement la première épaule sur un gazon très redressé couvert d'anémones. Ensuite commence la forêt. Nous découvrons la trace indienne, puis nous la perdons, et nous montons lentement, pour aboutir à une futaie de spruces et de peupliers, qui nous rabat jusqu'au rebord de la falaise. Là une étroite corniche permet une progression plus rapide. Le paysage est devenu d'un seul coup grandiose. Vers l'est, c'est l'immense plaine boisée, à travers laquelle la Liard et ses affluents décrivent leurs nombreux méandres. Tout au pied de la montagne la Nahanni, qui coulait vers le sud, change brusquement de direction et contourne la Nahanni Range pour se diriger vers le nord et se mêler aux eaux de la Liard.

Au confluent, la vaste clairière du village indien avec ses huttes bien alignées évoque un camp militaire. La petite piste d'atterrissage n'est qu'un sillon plus pâle dans le vert sombre de la forêt. En deçà de la Nahanni s'étend le « domaine » de Dick Turner, avec sa maison, ses magasins et sa piste pour avions. Justement quelqu'un s'affaire autour du « super-cub ». C'est Donald qui décollera peu après ; deux heures plus tard Dick Turner prendra l'air à son tour en direction de la Colombie britannique. Vera restera seule dans sa maison confortable au milieu de l'immense forêt qui l'entoure et gardée par ses chiens. Vera n'a pas peur, pourtant il n'est pas rare que la nuit les ours noirs, et l'hiver les loups, viennent rôder en quête de nourriture jusqu'à sa porte. Le splendide grœnendael qu'ils ont dressé suffit à les mettre en fuite.

Le paysage qui se découvre sous nos pieds a quelque chose d'irréel. Pas de vastes prairies, pas de zones cultivées, c'est le bush à l'infini, une grandiose solitude plus angoissante que la nudité du Sahara, car ce paysage où tout respire la vie est vide d'humanité. La montagne subit l'assaut de la forêt qui recouvre ses flancs jusqu'au ras des falaises et la protège mieux qu'une barrière rocheuse. Cette forêt qui, vue d'en bas nous semblait minuscule, nous allons maintenant l'affronter avec tout son mystère.

La corniche que nous suivions a cessé brusquement. Il faut donc franchir un petit bois au-delà duquel nous pensons déboucher sur les rocailles supérieures. Une vague piste nous égare vers l'ouest, et, devinant que nous faisons fausse route, nous cherchons à rejoindre la ligne de crête. Deux heures durant nous allons nous livrer à une gymnastique exténuante. Le sous-bois est un enchevêtrement d'arbres morts, recouvrant des fosses rocheuses garnies de mousses ou de ronces et desquelles surgissent d'épais buissons de saules. Des branches cassent, un vieux tronc qui servait de pont se brise, on tombe, on jure, on transpire, et tout à coup on est dévoré par les moustiques. La première grosse chaleur de l'été est responsable de cette éclosion soudaine. A quelques mètres l'un de l'autre, nous nous interpellons sans nous voir :

« Ça va de ton côté ?

— Rudement encombré, et toi ?

— J'ai l'impression de traverser une forêt couchée par l'avalanche.

— Tire vers moi ! Je vois un peu de jour, la falaise ne doit pas être loin. »

Mais de courtes clairières nous dirigent invariablement vers le versant sud, qui est, nous le savons, couvert d'une forêt encore plus épaisse. Si au moins on apercevait la Butte ! Non, les arbres masquent tout. Alors on continue, on franchit comme on peut les obstacles, on se fait gifler par les branches, griffer par les ronces. Il aurait fallu prendre une machette, trancher, comme dans une forêt vierge, car nous sommes ici dans la forêt

142

primaire qu'aucun bûcheron n'a touchée depuis qu'il y a des hommes.

« Une trace ! » crie Pierre...

Une trouée dans les taillis, des branches brisées dont la cassure est encore fraîche. Les ours ? On nous a bien dit qu'ils étaient noirs et sociables, mais s'ils sont conscients de leur droit de propriété, qui cédera la place à l'autre ?

Du sommet d'une pyramide d'éboulis, nous apercevons enfin les pentes supérieures, nous sommes dans la bonne direction, mais il reste encore une grande combe à traverser. C'est après ce col que la montagne se redresse réellement et que la végétation disparaît.

Les traces de bêtes sauvages s'entrecroisent. Il y a des traces d'ours, mais aussi des traces d'élans. Nous ne pensions pas que les « mooses » venaient aussi haut. Il est vrai que franchir les enchevêtrements de troncs qui garnissent le sous-bois n'est qu'un jeu pour leurs jambes d'échassiers.

Le simple passage de la forêt — à peine un mile en distance — nous aura pris plus de deux heures. Vient ensuite une zone plus clairsemée où seuls résistent à l'altitude des buissons de saules en bourgeons. Lorsque nous nous retournons et baissons les yeux, nous découvrons la forêt belle et attirante qui dissimule ses chausse-trapes sous un tapis moiré de toute la gamme des verts : vert sombre des futaies de spruce, vert tendre des saules, vert jaune pâle des peupliers. La montagne entière arrondit ses flancs et sa jupe sylvestre semble traîner dans les eaux de la Nahanni qui ourlent sa frange inférieure d'un galon d'argent.

La chaleur, la sécheresse de l'air, nous déshydratent rapidement. Je n'ai jamais eu aussi soif en montagne si ce n'est au Sahara. Mais dans le Nord, cinq cents mètres gagnés en altitude provoquent un changement total de climat. Alors que nous étouffions dans la forêt, ici la brise circule librement et nous réconforte. Nous abordons bientôt la carapace même de la montagne, faite de plaques calcaires nues, que l'érosion a recouvertes d'éboulis instables. Vers le nord, la falaise a pris de belles proportions, elle forme un hémicycle parfait, celui d'un anticlinal, soulevé à cette altitude.

Sous le sommet, de belles terrasses permettent un repos prolongé. Dans ce paysage aérien, les dimensions de la plaine deviennent planétaires et le cours des rivières dessine un trait de lumière qui se perd dans les brumes. Vers l'est la chaîne de la Liard et les premiers contreforts des Rocheuses barrent l'horizon. La Nahanni sort de ces montagnes, puis s'étale en mille bras dans la large vallée où son lit atteint quelquefois plusieurs miles de largeur. La vraie Nahanni, la rivière indomptable, termine sa course à la sortie

144

de ces mêmes montagnes qu'elle a franchies par de gigantesques cañons. Ensuite, jusqu'à sa rencontre avec la Liard, elle n'est plus qu'un grand torrent rapide, qui se creuse à chaque crue un lit nouveau, fait et défait des îles, des promontoires, dessine des méandres. Toutes ces eaux, vues d'ici, forment une sorte de résille métallique posée sur la forêt, un véritable labyrinthe aquatique en parfait contraste avec la force tranquille et sereine de la Liard, immense python glissant dans le paysage des plaines.

Nous avons décidé, Pierre et moi, de continer par l'arête. Le chemin le plus facile serait de traverser vers le nord et de remonter des pentes herbeuses, mais l'arête offre de multiples avantages au photographe. Ici un groupe d'arbres morts pétrifiés par les vents, synthèse de l'âpreté du lieu, forme un gibet surréaliste. D'un ressaut calcaire haut de plusieurs centaines de mètres on jouit d'une vue incomparable. Et, dans toutes les fissures du calcaire se cachent de merveilleux cyclamens aux pétales délicats d'un mauve violacé.

Pierre prend photo sur photo, puis il disparaît dans les cheminées rocheuses.

Je grimpe plus lentement sur les vires qui ont vu passer les moutons de montagne, ces magnifiques bêtes à cornes en spirales et à gros poil laineux, aussi gros que les mouflons à manchettes du Hoggar, mais beaucoup plus lourds ; ici le pâturage ne manque pas. Puis

145

voici le premier névé, une chance ! Il en sourd un filet d'eau et je peux remplir la gourde. Après avoir franchi trois ou quatre ressauts verticaux, j'atteins une sorte de lapiaz couvert par endroit d'un gazon ras et parsemé de petites « gouilles » qui recueillent l'eau des névés ; c'est un endroit idyllique. Le paysage qui s'offre à mes yeux s'étend sur quatre cents kilomètres de diamètre. Malgré sa faible altitude la Butte est un belvédère incomparable. Et comme toutes les montagnes placées à l'avant-garde des grands massifs, elle reçoit la première les vents et les tempêtes, gouverne le temps, domine les plaines. On songe à la majesté du Ventoux, quand la végétation y disparaît pour faire place au désert pierreux du sommet. Ici aussi, de hautes montagnes barrent l'horizon de toutes leurs neiges, mais si lointaines que la coupole ronde où nous nous trouvons en paraît encore plus élevée. La forêt qui commence sous nos pieds et disparaît à l'horizon, toujours aussi plate et sans relief, c'est la plus grande forêt du monde, qui fuit en diagonale sur plus de six mille kilomètres jusqu'au Labrador et à la pointe de Terre-Neuve. Elle couvre tout un continent entier et elle est presque vide... Vingt-cinq à trente mille personnes au maximum y vivent comme aux premiers temps des peuples chasseurs.

Le sommet de la Butte est formé par une large croupe arrondie, pareille à un pâturage des Préalpes, qui se casse brusquement sur un à-pic de deux à trois cents mètres. Sur les nappes calcaires du sommet, j'ai retrouvé des blocs de pierre cristalline, variétés de gneiss ou de granit dont l'origine me semble obscure. Roches erratiques ? Soulèvement volcanique ? Aux géologues de le dire. Je songe à tous ces mystères de la formation de notre globe, sans me lasser de contempler ce paysage irréel tant par ses dimensions que par son vide humain. A mes pieds, Nahanni-Village n'est plus qu'un tout petit carré défriché, et la piste d'aviation un simple trait pâle dans la forêt ! Les rumeurs du fleuve ne parviennent pas jusqu'à moi, seul le vent joue dans les cheminées calcaires de la face. La croupe sommitale est constituée de cinq à six sommets à peu près aussi élevés reliés entre eux par de courtes brèches où stagnent encore quelques névés. Pierre s'est éloigné vers le nord et je décide de le rejoindre. Je passe d'une brèche à l'autre par une cheminée rocheuse de dix mètres de hauteur à peine, presque un escalier, et c'est à cet instant que se produit l'incident qui aurait pu ruiner tous nos espoirs. Une pierre qui se détache sous mon pied ! Je me raccroche par les mains, j'évite la chute, mais une fulgurante douleur me fait comprendre que je viens de m'abîmer la cheville gauche. Elongation du tendon d'Achille avec rupture de nombreux ligaments secondaires ! Accident banal, certes, mais pas

147

sur cette montagne, à des heures de marche de tout secours.

Impossible de marcher ! Mon pied ne me porte plus, la cheville cède, la douleur est très vive. Il faut avertir Pierre. Me traîner pour cela sur plusieurs centaines de mètres le long de la crête. Pierre est sur le dernier sommet. Debout sur une petite vire, il photographie le paysage sans souci du vide et du danger. Il ne m'entendra qu'après plusieurs appels. Alors il laisse tout, me rejoint, déchire des sacs de plastique pour faire une bande avec laquelle il serre ma cheville.

« Pourras-tu marcher ?

— Me traîner sûrement. »

Nous regardons tout en bas le minuscule village indien. Nous avons mis cinq heures pour atteindre le sommet, il est cinq heures du soir, la nuit vient vers dix heures mais le crépuscule est long. Il n'est pas question de suivre la crête de la falaise, nous allons descendre directement par la face sud de la Nahanni, immense versant arrondi aux pentes excessivement raides dans le début mais en grande partie herbeuses. La convexité de la paroi masque le bas et sans doute existe-t-il une barre rocheuse à mi-hauteur.

Cette descente, je l'ai faite non pas en ramasse mais en me traînant sur les mains et sur les reins, soutenu par Pierre dans les passages délicats. A la limite du bush, Pierre me taille dans une branche de saule une solide perche qui me permet de mieux assurer mes mouvements.

Il y a bien une barre rocheuse ! Nous arrivons sur le rebord d'une corniche qui plonge à pic jusqu'à la grande forêt. Nous ne pouvons envisager de traverser cette forêt sur toute sa longueur pour atteindre la rivière dont nous séparent encore huit cents mètres de dénivellation et peut-être cinq à six miles en distance réelle. Des vires herbeuses nous ramènent jusqu'à l'aplomb d'un grand couloir très raide mais envahi par des pousses de saules nains et quelques arbres isolés. Un maigre gazon recouvre un peu partout la roche qui affleure en larges plaques brillantes. La descente est d'autant plus rapide que la pente est raide ; en une demi-heure nous avons perdu beaucoup d'altitude et nous sommes arrivés nettement en dessous de l'épaule supérieure de la Butte. Il nous faut maintenant rejoindre la corniche du matin par une longue traversée descendante dans un versant de plus en plus boisé, mais où, en raison de l'altitude, la forêt n'est qu'un petit maquis de saules au feuillage d'un vert très doux, couvert de bourgeons.

Cette descente peu conformiste m'a épuisé, et je sollicite une pause avant la grande traversée où je vais être obligé de marcher coûte que coûte. Je remâche des pensées plutôt amères. Se faire une entorse en pays civilisé, passe encore ! Mais ici, ce stupide accident nous a mis dans une position dramatique. Dans ce pays, la plus facile des montagnes recèle des pièges. Qu'on s'écarte du village d'un mile ou deux et une forêt menaçante vous enserre, dans laquelle on peut disparaître sans laisser de traces. Et puis ! il y a les suites. Bien sûr, je m'en tirerai avec un compagnon comme Pierre. Nous finirons bien par atteindre le village. Mais serai-je en mesure de poursuivre notre expédition ou devrai-je renoncer à la Nahanni ? En mon for intérieur, je me jure bien de ne rien laisser paraître de mon état. Je serre dans mes mains mon bâton de saule et sa solidité me réconforte ; avec lui j'irai à cloche-pied n'importe où mais j'irai.

« Partons, dis-je à Pierre, ça va mieux ! »

Nous n'étions pas au bout de nos peines. L'heure qui allait suivre devait marquer l'une des plus fortes émotions de ma vie d'aventurier, et tout cela à cause d'une pauvre et médiocre entorse !

Car c'est alors que Pierre aperçut la « chose ». Une masse noire qui remuait à quatre cents mètres de distance, en contrebas.

« Un ours ! » me dit-il à voix basse.

Je regarde dans la direction, ne voit rien. Nous restons immobiles.

« Tiens ! le voilà, il monte sur notre droite. »

C'est bien un ours, il nous paraît de grande taille, et nous nous demandons s'il nous a aperçus car le vent nous est favorable. La splendide bête va d'un saule à l'autre, mangeant les bourgeons dont il est friand. Parfois il disparaît dans un bosquet d'arbres à peine plus hauts que lui, puis réapparaît, et jamais au même endroit. Nous pouvons maintenant distinguer la couleur de son pelage qui nous avait paru noir et c'est avec inquiétude que nous l'identifions :

« C'est un grizzly ! »

Sa robe foncée s'éclaircit sur la tête, la nuque et les reins et forme une bande argentée qui brille au soleil. Aucun doute, c'est bien un grizzly et nous mesurons tout à coup ce que notre situation a de précaire. Le grizzly est le seul ours qui attaque réellement, surtout s'il se croit provoqué. Que faire ? Il est au-dessous de nous et nous barre la descente, continuant à glaner de-ci, de-là des bourgeons qu'il tranche délicatement avec ses dents. Le voici qui dresse la tête, s'immobilise et nous fixe avec intérêt.

« Il nous a vus, dit Pierre.

— Eh bien, ne bougeons pas, ne l'inquiétons pas ! D'ailleurs, dis-je amèrement, quoi qu'il arrive je ne peux pas me remuer ! »

Pierre a posé à côté de lui le gros lourd sac qui contient les appareils photos. Il n'est pas question de déballer les caméras. Pour que Pierre photographie il faudrait que je puisse le couvrir ! Avec quoi ? Nous jetons un regard ironique sur la petite 22 long rifle du P. Mary.

« Chargeons la carabine ! dis-je. A bout portant on peut faire mouche, mais pour la grâce de Dieu, ne tire qu'à toute extrémité. Tiens ! où est-il passé ? »

Cet animal pesant qui doit mesurer près de trois mètres se déplace avec une agilité surprenante sur ces pentes rocheuses ou herbeuses. Où est-il passé ? Je connais la curiosité des ours, il a dû se poster en observation quelque part, derrière cette roche isolée dressée au milieu du clapier, à moins que... Au-dessus de nous des branchages remuent. Le vent, l'ours ?

« Il est à notre droite maintenant, regarde !... il s'est remis à manger !

— C'est bon signe !

— Que faisons-nous ? demande Pierre.

— Nous allons nous éloigner tout doucement sur notre gauche à flanc de montagne ; dès qu'il cesse de manger, nous nous immobilisons. Toi, tu le surveilles, car je dois faire attention à ne pas tomber, ma cheville a tendance à fléchir de plus en plus... pourvu qu'elle tienne jusqu'au bout ! »

Nous esquissons une prudente retraite. Le bruit d'un caillou qui roule sous mon pied nous fige sur place. L'ours a entendu, il lève la tête et nous regarde ; il ne s'est ni éloigné ni rapproché, on dirait qu'il nous suit à distance... Continuons !

Notre immense solitude, la majesté des horizons perdus de brume, l'infini du lieu,

152

dans le temps et dans l'espace se rejoignaient pour créer en moi une sorte d'angoisse. Je voyais les méandres de la rivière briller comme un ruban de métal en fusion dans le vert très sombre de la forêt au crépuscule. Mais si la plaine était hostile, les flancs de la montagne où nous nous trouvions ruisselaient de lumière et de soleil par cette magnifique fin de journée.

La traversée qui devait nous permettre de regagner l'arête et sa corniche plus facile ne se trouvait qu'à quelque cinq cents mètres à vol d'oiseau. Nous avons mis une heure et demie pour les parcourir pas à pas, nous arrêtant au moindre bruit suspect, rassurés quand nous voyions le grizzly brouter les pousses de saule, inquiets lorsqu'il disparaissait à nos yeux. Nous avions envisagé le pire avec sang-froid. La petite carabine ne m'inspirait pas confiance ; en la chargeant nous avions constaté que le magasin s'enrayait facilement, nous avions dû recommencer deux fois l'opération. Bien sûr ! une petite balle blindée, même d'un calibre 5,5, peut tuer un ours si elle l'atteint en plein crâne. Mais c'est petit un œil d'ours ! Non ! le mieux était la fuite, la fuite honteuse. D'ailleurs pourquoi le tirerions-nous s'il ne nous voulait pas de mal ?

Notre lent déplacement qui nous éloignait de lui peu à peu avait sans doute rassuré l'ours car, au moment où nous atteignions le rebord de la longue falaise, je le vis qui partait au petit trot dans une direction opposée, traversait avec agilité un ravin rocheux très escarpé et se perdait dans la forêt de saules. Le soleil l'éclairait magnifiquement, sa robe d'un brun très chaud, presque marron foncé sur les flancs contrastait avec la bande grise qu'il portait sur les épaules... Nous regretterons toute notre vie de n'avoir pu le photographier. C'est à cause de moi que Pierre ne l'a pas faite, cette photo ! Il s'en explique alors que nous reprenons des forces et nous laissons baigner le visage par la brise de vallée qui s'élève le long de la falaise :

« Je ne pouvais pas le photographier et te laisser là sans défense !

— J'étais résigné, je savais que je ne pouvais pas faire un pas plus vite que l'autre...

— On nous avait pourtant dit qu'il n'y avait pas de grizzlies sur cette montagne.

— L'ours est un grand voyageur, son instinct l'a poussé jusqu'ici juste au moment de l'éclosion des premiers bourgeons. »

Ou peut-être était-il à la recherche des moutons de montagne dont nous avions reconnu les traces.

Nous ne voulions pas renouveler l'erreur de la matinée. Il fallait à tout prix rester en bordure de la falaise, sur la corniche, entre la lisière dense de la forêt et le vide. Nous avons rejoint ce passage étroit mais suffisant en utilisant les traces des bêtes sauvages ; plusieurs « mooses » avaient dû passer par là

et leur piste constituait un chemin plus facile ;
à diverses reprises sur ces mêmes traces nous
avons relevé des fumées d'ours toutes fraîches.
Le collet supérieur de la muraille semble bien
être le passage des bêtes qui se rendent d'un
versant à l'autre car sur cent mètres les deux
forêts se rejoignent et s'unissent sur un vaste
plateau.

L'horizon s'est abaissé. A nos pieds, à plusieurs centaines de mètres, nous revoyons la
maison de Dick Turner, la piste d'envol vide
de ses avions, puis la Nahanni joignant ses
eaux à la Liard, enfin le quadrilatère du village
indien, qui représente pour nous, ce soir, la
sécurité et le repos.

« Dans deux heures nous y serons », dit
Pierre.

La dernière acrobatie fut pour rejoindre
le canot amarré au pied de l'escarpement
rocheux de la berge.

Nous avons empoigné chacun une pagaie
simple et enfoncé les pelles dans les eaux
grises avec ardeur en nous souvenant des
consignes du P. Mary : ne pas chercher à couper en biais pour gagner l'autre rive, pagayer
en remontant le courant. Un peu plus tard
nous étions sur l'autre rive et nous la longions
au plus près, dans une fin de jour de toute
beauté. Le chant de la rivière nous berçait,
sa voix était apaisante, amicale. Plus tard nous
avons tiré au sec le canot et nous l'avons
attaché avec une très longue corde pour que

les crues ne l'emportent pas. Il y avait encore une belle lueur de crépuscule quand nous sommes arrivés à la cabane du P. Mary, notre maison !

« Faut que tu sois d'attaque pour la semaine prochaine, me dit Pierre. On va te soigner !

— Je le serai. C'était une rude mais bien belle journée. »

V

VEILLE D'ARMES

Tous les soirs, vers dix heures, les chiens du
P. Mary nous donnent un concert rituel. Cela
éclate comme une fanfare ! Les longs hurlements s'achèvent en lamentation déchirante,
pour reprendre aussitôt, chaque chien donnant
sa note et la poursuivant jusqu'à l'essouffle-
ment ; quand il cesse de hurler, un autre le
relève, parfois leurs aboiements se juxtaposent
et la plainte commune s'enfle démesurément,
puis se casse. Il y a comme une pause, un
répit entre deux explosions sonores. Les chiens
du village, s'étant sans doute accordés entre
eux, apportent leur partie discordante dans ce
concert insolite, par lequel ils évoquent la
forêt, les loups, les ours, les dangers inconnus
et latents. Cinq, dix minutes tout au plus,
puis le silence de la nuit pèse de nouveau sur
Nahanni et ses habitants, un silence où frémit,
à peine perceptible, le bruissement de la
rivière.

Au lendemain de notre ascension de la Nahanni Butte, le village est à nous, nous sommes seuls Pierre et moi avec les Indiens qui, tout en restant sauvages et taciturnes, nous considèrent maintenant comme des résidents habituels. Ne sommes-nous pas les hôtes du P. Mary ? Les gardiens de sa maison, les pourvoyeurs de ses chiens ? Les enfants que notre présence avait d'abord éloignés, s'apprivoisent peu à peu. Quelques bonbons, du chocolat, un large sourire d'accueil, et les voici qui entrent, me demandent timidement la permission de lire les « comics », restent un moment assis à m'examiner comme une bête curieuse ; mes cheveux blancs, m'a dit le père, les impressionnent beaucoup. Pierre fait du thé, beurre des biscuits, les enfants goûtent avec nous, puis repartent sans un mot, comme ils sont venus.

Le P. Mary a dit qu'il reviendrait sans doute au début de la semaine. Aura-t-il réussi à se procurer un bateau ? Je l'espère de tout cœur. Pierre bout sur place. Il a parcouru tout le village, photographié les Indiens en train de préparer les peaux d'élan. Les femmes raclent avec soin toute la pellicule de graisse qui, intérieurement, recouvre le cuir. Après des journées de travail ce cuir grossier, plus épais que celui d'un bœuf, se transforme en une peau souple et douce comme celle du chamois tout en gardant sa solidité. C'est avec elle que, jadis, on faisait les tentes, on recouvrait les

canoës ; maintenant elle sert un peu à tous les usages, mais surtout à fabriquer des mocassins très résistants.

Le jour suivant, qui est un samedi, la température est en baisse, le froid revient aussi vite qu'il est parti ; durant notre séjour à Nahanni, par trois fois, après chaque orage, la neige est descendue jusque dans la plaine ; la rivière est en crue et maintenant les eaux recouvrent tous les bancs de sable, formant jusqu'à l'autre rive un vaste plan d'eau au-delà duquel se cache, derrière les premiers arbres de la forêt, la maison de Dick Turner.

Konisenta nous a prêté son canoë métallique et Pierre décide une sortie. Nous avions aperçu du haut de la Butte une petite rivière, affluent de la Nahanni, qui se nomme la « Blue Creek ». Il se propose de partir vers neuf heures du matin pour la remonter et photographier ce qu'il trouvera. Vers la fin de l'après-midi je commence à m'inquiéter, et je marche péniblement, en m'appuyant sur un gros bâton taillé en forme de béquille, jusqu'au débarcadère du village, où, du haut du talus d'argile, on peut surveiller la rivière sur un ou deux miles.

Konisenta est venu me tenir compagnie. Il doit avoir mon âge, à deux ou trois ans près, et parle assez bien l'anglais. Tous deux, assis sur une souche, moi fumant ma pipe, lui perdu dans sa songerie, nous devisons comme ces sages de village qu'on rencontre dans toutes les bourgades de France, égrenant leurs rêves sur les bancs des jardins publics.

« La rivière est très forte », dit-il brièvement.

Je pense à Pierre, naviguant sur ces flots rapides qui charrient sans arrêt la flottille des sapins déracinés. Une eau boueuse et grise.

« Si vous voulez de l'eau potable, dit-il, comme s'il avait deviné ma pensée, il faut aller la prendre à deux ou trois cents mètres en amont, il y a là une petite crique où rentre le contre-courant. Ailleurs elle est trop sale. »

Ce renseignement donné spontanément est une preuve de confiance. Après dix jours passés à m'observer. Konisenta estime que je suis un homme bien ; tout le village a dû nous surveiller, nous épier, chercher à savoir ce que nous pensons, ce que nous faisons ! Nous sommes les amis du P. Mary, certes, mais le P. Mary reçoit beaucoup de monde. Quoi qu'il en soit, l'Indien devine vite s'il s'agit d'un fonctionnaire officiel ou d'un ami véritable. Nous couchons dans la maison du père, à même le plancher, dans nos sacs de couchage, c'est une bonne note ; nous faisons la cuisine, les corvées, nous partageons la vie du missionnaire, voilà qui donne confiance ! Konisenta vient de me le prouver. Naturellement, il sait que nous avons gravi la Butte, que je m'y suis blessé, que nous avons rencontré un grizzly, mais il ne m'en parlera pas le premier. Il attend certainement que j'aborde le sujet.

« Est-ce courant un grizzly sur la Butte, Konisenta ?

— L'ours voyage beaucoup, et la Nahanni Range est longue.

— Les grizzlies sont-ils réellement dangereux ?

— On ne sait jamais ce qu'ils vont faire...

— En avez-vous déjà tué ?

— Quelques-uns, mais par ici il y a surtout des ours noirs, les grizzlies vivent dans la montagne.

— Et la Nahanni ? Difficile pour un bateau à moteur ?

— Jusqu'à Hot Springs, ça va, mais après, *bad river*, dit-il, *very bad river*.

— L'avez-vous remontée ?

— Jusqu'aux « Falls » oui, mais plus haut, jamais ! »

Un canoë débouche en amont, longeant la rive au plus près. C'est Pierre. Il débarque, vient vers nous :

« Bonne journée ?

— Oui ! mais fatigante, dit-il. J'ai remonté la Blue Creek, très sauvage, magnifique sensation de solitude sylvestre, puis j'ai voulu remonter la Nahanni, il m'a fallu plusieurs heures pour couvrir un ou deux miles, alors j'ai abandonné. Le courant est vraiment trop fort. A ce propos, j'ai rencontré l'un des deux hommes qui descendaient la Liard l'autre jour, il avait échoué son canot sur un banc de gravier et il faisait la sieste.

161

— Et son compagnon ?

— Pas vu ! Ces deux-là ne donnent vraiment pas l'impression d'une équipe solide... que cherchent-ils ?... Le P. Mary est-il revenu ?

— Ne l'attends pas avant demain. C'est dimanche, il viendra sans doute dire sa messe. »

Nous sommes rentrés à la Mission. Pierre a préparé la pâtée des chiens et nous la leur avons portée. Bien qu'ils soient isolés de la maison du père par un rideau d'arbres de cinquante mètres de largeur, ils nous sentent à distance et se mettent à hurler joyeusement bien avant de nous avoir vus. A notre approche ils font des bonds énormes, secouent leurs chaînes, gémissent, puis se précipitent sur leurs gamelles. Alors on peut les caresser, on est tout fiers d'être leurs amis. Ils vont rester enchaînés ainsi tout l'été, puis, l'hiver, ils reprendront leurs joyeuses courses, attelés au traîneau du missionnaire... Cette vision évoque en nous le souvenir de nos randonnées passées, dans le froid terrible et le blizzard, nos veillées sous la tente, le feu qui pétille, puis la nuit glaciale et le réveil avec deux doigts de givre sur les couvertures. C'était le bon temps...

Comme tout est différent, maintenant ! La chaleur a réveillé les moustiques qui sortent par myriades du sous-bois. Les Indiens ont allumé en plusieurs points du village de grands feux qu'ils alimentent avec des herbes vertes. L'abondante fumée qui s'en dégage s'épand et stagne entre les maisons, tout disparaît dans un brouillard translucide mais au-dessus de la nappe de fumée le ciel est d'un bleu profond, semé de nuages blancs.

Le dimanche soir, l'instituteur nous invite à venir voir des films d'amateur qu'il a pris cet hiver. Séance café et réunion de famille, à laquelle Dick Turner et Vera sont venus se joindre, en voisins. On parle des deux canoéistes. Que viennent-ils faire dans ces parages ? Ils se sont, comme prévu, ravitaillés chez Dick, et ne lui ont pas caché leur intention de remonter la Nahanni. Pour quoi faire ? Ils ne l'ont pas dit. On discute de leurs chances.

« Ils peuvent gagner Hot Springs en six ou sept jours, concède Dick Turner, s'ils savent utiliser les bras morts de la rivière, mais après, inutile de continuer. Ce qui m'intrigue, c'est qu'ils ont toujours l'air de courir l'un après l'autre. Quel comportement bizarre ! Ils se sont déjà trompés de route, ils ont pris la Blue Creek pour un petit bras permettant de couper les deux grands méandres de la Nahanni. Quand ils ont reconnu leur erreur, ils ont fait demi-tour. Le temps ne compte pas pour eux. »

Pierre en a rencontré un, où est le second ? A vrai dire, personne, ce soir, ne s'inquiète d'eux, chacun, en ce pays, est libre d'aller et venir comme il lui plaît, ce qui n'empêche pas l'instituteur de demander des renseignements par phonie aux autorités de Simpson ; n'est-il pas ici le représentant de la Loi ?

Les films du « Pedago » ne nous ont rien appris. Il a mitraillé en long et en large sa femme et ses enfants, dans la neige, devant leur maison, mais tout cela n'a de valeur que pour lui. Sur le village, sur la rivière, sur les Indiens, rien ! Ce soir, il est heureux car demain il s'envole pour le Yukon avec Dick Turner ; une évasion de plus ! Il compte les jours qui le séparent des vacances... Où ira-t-il ensuite ? A Fort Simpson ? Il vaudrait mieux qu'il regagne le Sud, car il n'est pas fait pour vivre dans ces contrées, avec sa famille !

Il est près de dix heures du soir et la veillée se termine chez l'instituteur lorsque le P. Mary fait son entrée. Il vient de redescendre une fois de plus la Liard et paraît fatigué ; on le serait à moins ! Nous voudrions l'interroger sur nos projets, mais il évite le sujet ; visiblement, il ne veut pas en parler devant les autres.

« Allons roupiller ! dit-il.

— Déjà ! » s'étonnent les autres.

C'est tellement peu dans ses habitudes de penser au repos ! Il sort, s'enfonce en silence dans la nuit, marchant à grands pas sur l'herbe humide. Nous le suivons un peu inquiets, surtout intrigués.

Arrivé chez lui, il découvre ses plans.

« Le policier s'est dégonflé, je m'y attendais, sa femme a été la plus forte. Il y avait aussi

164

un pépin, mon évêque devait venir nous visiter... mais aux dernières nouvelles il est parti pour l'Europe. Je suis donc tranquille de ce côté-là.

— Mais si le policier ne vient pas, quel bateau ?...

— C'est tout arrangé ! Gus est un ami fidèle, j'ai pu le contacter par radio, il est d'accord pour me prêter le sien. Si vous êtes toujours décidés, demain on rallie Hot Springs à bord de ma barque et là-bas on change d'embarcation. On décide Gus à venir avec nous (il connaît admirablement la Nahanni jusqu'aux Chutes). Il faut compter une semaine aller et retour... Ça vous va ? »

Je bondis de joie, ce qui m'arrache un cri de douleur. Maudite jambe !

« Vous boitez ? »

Il nous faut raconter mon accident, la rencontre avec l'ours... et ça occupe la soirée.

« Vous avez bien fait de ne pas le taquiner. C'est égal, je n'aurais jamais pensé qu'il puisse y avoir des grizzlies là-haut...

— Alors, tu viens avec nous ? » dit Pierre, en me jetant un bref coup d'œil.

C'est décidé. Je pars, nous partons demain. Il aura fallu près de quinze jours de démarches et l'inépuisable dévouement du P. Mary pour obtenir ce résultat. Il ne nous cache pas que c'est une aventure délicate. Mais il a une absolue confiance en Gus Kraus. Jusqu'à trois heures du matin nous parlons de la Nahanni, de la Vallée des hommes morts, des hommes scalpés, des disparitions étranges... Une sorte d'envoûtement pèse sur nous. Nous ne le dissiperons qu'en remontant cette rivière des légendes.

Comme nous allions nous endormir le soleil a brusquement pénétré dans la pièce. Le matin, déjà ! Nous baignons dans une lumière blonde qui s'accorde merveilleusement avec les parois de bois patiné du logis ; au-dessus de l'embrasure qui sépare la cuisine du parloir, la tête naturalisée du bighorn nous fixe de ses yeux globuleux, couleur d'or en fusion. La vue de cet ovidé sauvage évoque irrésistiblement pour moi le mouflon de la « montagne des Génies ». C'était en 1935, mon camarade Raymond Coche et moi-même, après avoir exploré à chameau la Tefedest inconnue, venions d'achever la première ascension de la montagne des Génies. De même que la Nahanni est une rivière maudite que les Indiens ne remontent pas, la Garet était alors une montagne maléfique et les Touaregs du Hoggar ne pénétraient pas dans son massif. Cette montagne légendaire, nous en avions triomphé et par notre victoire nous lui avions redonné ses dimensions naturelles. A peine arrivés au sommet, nous avions vu se dresser devant nous un énorme mouflon qui, n'ayant jamais rencontré d'homme, nous fixait sans crainte et sans faire mine de s'éloigner. Sa présence nous avait paru fantastique, comme si le véritable génie de la montagne s'était manifesté au cœur de ces déserts de pierre.

Notre aventure de demain ne sera pas à la même échelle. D'autres que nous ont remonté la rivière. Restent tous ces disparus, tous ces morts, l'implacable fatalité qui pèse sur les pionniers de la Nahanni. Avant de partir pour la montagne des Génies j'avais noté sur mon carnet de route : « De quoi demain sera-t-il fait ? »

De ce lendemain qui nous attire la Nahanni détient le secret.

III

LES CAÑONS DE LA NAHANNI

I

HOT SPRINGS ET SES HABITANTS

Nous rejoindrons ce soir Hot Springs où Gus Kraus nous attend. Sa maison, il l'a construite à l'entrée du Premier cañon ; au-delà la navigation devient hasardeuse.

Le P. Mary ne laisse rien au hasard. Il est à la fois tourmenté, inquiet, et décidé à réussir. Lui si peu attaché aux réalités terrestres, à l'ordre, au confort, à la nourriture, lui qui vit comme un Indien du bush, va se montrer d'une précision méticuleuse.

« La Nahanni c'est une question d'expérience de la rivière, dit-il. Il faut aussi aménager le bateau comme pour une véritable expédition, car nous ne pourrons compter que sur nous-mêmes pour nous dépanner. L'important, c'est la puissance et la bonne marche du moteur, et de bien calculer la consommation de carburant. »

Nous n'avons pratiquement pas dormi, Pierre et moi parce que nous sommes impatients, le père parce qu'il a beaucoup à faire.

Comme notre absence va durer une semaine, il doit visiter avant de partir les familles du village, s'assurer qu'elles n'ont besoin de rien, prévoir la nourriture de ses chiens, équiper et charger le bateau.

La longue barque est amarrée par un cordage à une souche de la rive abrupte. L'eau y a pénétré par les jointures du plat-bord. Depuis notre arrivée le P. Mary est allé deux fois à Fort Liard en se promettant chaque fois d'y calfater sa barque parce qu'il dispose là-bas d'un excellent atelier et de tous les ingrédients nécessaires, poix, bitume, étoupe... mais, naturellement, il n'a jamais trouvé le temps nécessaire à cette réparation. Notre premier soin sera donc d'écoper à l'aide d'une boîte de conserve, et d'assécher le fond de la barque avant le chargement. Nous sommes à la limite du poids transportable : cinq cents litres d'essence, les bidons d'huile, un moteur de rechange soigneusement bâché à l'avant, des bougies, une hélice de secours ! Ensuite les provisions, que nous compléterons en faisant au départ un petit tour chez Dick Turner, le matériel photo, une carabine 303, ses munitions, les sacs de couchage... Tout ce chargement est disposé de façon à ne pas rompre l'équilibre précaire de la barque, et bien arrimé et bâché pour rester à l'abri des vagues dans les rapides.

L'embarquement du carburant prend à lui seul près de deux heures. L'essence arrive ici en fûts métalliques de cinquante, cent ou deux cents litres. Les fûts sont rarement nettoyés, il est indispensable de transvaser l'essence à l'aide d'une pompe à bras, et de la filtrer à travers un vieux chapeau de feutre ; ensuite on effectue le dosage très important du mélange huile-essence que consomment les moteurs à deux temps des « kickers ». Le P. Mary a tendance à forcer la dose d'huile. Bien sûr il ménage ainsi sa mécanique mais au détriment des bougies qui s'encrassent très rapidement.

La rivière est très grosse et le courant violent, le ciel bouché par un plafond de nuages noirs qui rasent le sommet de la Butte. Pierre est à l'avant, d'où il pourra photographier à son aise et mettre si besoin est ses appareils à l'abri de la pluie et des embruns sous une bâche. Les fûts d'essence encombrent toute l'embarcation. Nous les avons répartis sur toute la longueur, de façon à diminuer le tirant d'eau.

Pas de siège, je m'allonge entre deux fûts de vingt gallons à l'arrière. Le P. Mary a disposé son arsenal de voyage à portée de main : sa caisse à outils, la réserve de bougies. Les deux réservoirs en charge sont reliés par tubes souples au moteur ; un compteur permet d'évaluer la consommation à tout moment. Les bidons contiennent chacun environ cinq gallons, soit vingt-cinq litres ; ils sont jumelés, on peut passer de l'un à l'autre sans arrêter le moteur ; une poire de caoutchouc branchée sur la canalisation permet de réamorcer, c'est un système à la fois rudimentaire et pratique.

Quelques Indiens nous regardent embarquer sans curiosité. A peine l'amarrage est-il largué que nous sommes saisis par le courant et emportés vers l'aval.

« Passons chez Dick ! » dit le père.

Ah ! oui. J'oubliais : compléter les provisions ! Dick a reçu du pain, du beurre, des œufs, toutes choses, me dit le P. Mary, qui seront fort appréciées par Gus. Mais il ne faut plus distraire notre pilote. Il a pris sa place habituelle, assis sur un bidon comme sur un haut tabouret, de façon à voir vers l'avant le plus loin possible. Cette position fatigante, il la tiendra des heures entières sans faiblir. La halte chez Dick sera très courte, Vera est seule, les hommes se sont envolés vers le Yukon. Nous coupons au plus court par un petit bras de la rivière que les hautes eaux rendent praticable, doublons le promontoire rocheux où vient mourir la Butte, et nous engageons dans ce très large couloir forestier où la Nahanni divague au milieu des forêts, des îles et des bancs de gravats. Voici l'embouchure de la Blue Creek, petite rivière mystérieuse, puis, sur la rive gauche, une hutte de trappeur abandonnée, enfin la solitude. Le moteur tourne rond, son bruit couvre la rumeur des eaux grises. Un canard sauvage

174

se pose, pattes en avant, freinant de toutes ses palmes, s'envole à nouveau dans un battement d'ailes. Sur les rives la forêt défile lentement. La Nahanni décrit en ces lieux un double méandre absolument parfait, il suffirait de quelques centaines de mètres pour nous ramener à notre point de départ. Ces boucles enserrent des chapelets d'îles séparés par des layons, des bras, des courants, encombrés de bois flottés. Les rives sont toujours escarpées ; parfois leurs talus de terre s'éboulent dans un grand bruit qui s'assourdit dans le bouillonnement des eaux.

A quelques miles en amont du village indien nous apercevons le canoë bâché de vert de l'un des deux Canadiens qui intriguent tant les Blancs de la Nahanni. L'homme endormi à côté de son embarcation, allongé sur une plage de galets, est réveillé par le bruit du moteur et nous fait signe de la main. Nous n'avons pas rencontré son compagnon. Que font-ils depuis plus de huit jours sur cette rivière ? A notre retour nous apprendrons qu'ils ont tenté de remonter jusqu'à Hot Springs mais que la violence du courant ne leur a pas permis de dépasser « Twisted Mountain », à mi-parcours. Ils ont donc décidé d'abandonner leur projet.

Nous remontions le courant depuis plus d'une heure, tirant des bords d'une rive à l'autre pour éviter les affleurements de sable et les troncs d'arbres à la dérive lorsque, brusquement, le moteur se mit à tousser puis à perdre de sa puissance :

« Encore une bougie encrassée ! hurla le P. Mary. Pierre ! amarre la barque à ce tronc d'arbre. »

Un tronc de spruce, fiché la pointe en l'air dans la rivière, se dressait comme un épieu dans le lit principal du courant.

Pierre lança la corde comme un lasso, captura le tronc d'arbre, fit un tour mort. Il était temps ! le moteur s'était arrêté subitement. A son fracas succéda ce qui nous parut être un grand et profond silence, seulement troublé par le murmure des eaux de la rivière. Nous flottions, balancés bord sur bord, dans le léger remous provoqué par la présence du tronc d'arbre échoué, comme des naufragés sur une épave.

Le P. Mary sortit l'hélice de l'eau, bascula le moteur sur son axe, dévissa le capot, puis nettoya soigneusement ses bougies, vérifiant l'écartement avec son canif, grattant, soufflant, comme le ferait un mécano dans un atelier.

« Un peu trop d'huile dans l'essence, remarqua-t-il ; je le reconnais, mais je préfère nettoyer plus souvent !

— Et si la panne se produisait en franchissant un rapide ?

— On vérifiera avant et après l'obstacle... il faut savoir prendre son temps. »

La réparation achevée, le P. Mary s'apprêtait

176

à lancer le moteur, lorsque nous vîmes devant nous notre premier orignal.

Le « moose » traversait un bras de la Nahanni, à longues foulées, pour gagner une île très boisée. Le temps de larguer l'amarre, il avait disparu dans le couvert marécageux, nous laissant la vision de son extraordinaire facilité à bondir dans le courant sans même nager, porté sur ses jambes démesurées, véritable mammifère échassier, d'une étrange laideur avec ses oreilles pendantes et son chanfrein de mulet.

Vers le vingtième mile, la vallée se resserre légèrement. Au sud s'amorce la chaîne de montagnes dite « Liard Range » qui se prolonge au nord par la « Nahanni Range », et la « Twisted Mountain ». La Nahanni coule dans un immense lit mal défini, dispersée en de nombreux bras qui se rejoignent et se séparent, formant une véritable résille de canaux. Par suite de l'étalement des eaux, la profondeur reste faible et les affleurements sont nombreux. Il faut avoir une grande habitude pour repérer le meilleur passage, jamais évident, variant avec chaque nouvelle crue, ou décrue de la rivière.

Le P. Mary qui était ici il y a dix jours ne reconnaît plus l'endroit ; il finit par trouver un passage mais nous avons touché à diverses reprises. Dès qu'on entend racler l'avant de la barge à fond plat, il faut faire vite, basculer hors de l'eau le lourd moteur afin de préserver l'hélice ; malgré toute notre attention cela se produit toujours au moment où nous nous y attendons le moins.

« Aujourd'hui on y voit clair, sourit le P. Mary, mais l'autre jour, sous l'orage, dans la pénombre, c'était hallucinant. »

C'était, il est vrai, à la descente, quand la vitesse du courant s'ajoute à la vitesse du moteur, et interdit pratiquement au navigateur de s'arrêter pile à l'endroit choisi. Aujourd'hui, nous éprouvons, débutants que nous sommes, des sensations pour le moins insolites et en particulier l'impression d'une vitesse illusoire. Il me semble que nous remontons le courant à une allure vertigineuse alors qu'en fait deux vitesses contraires s'ajoutent : celle de la rivière et celle du bateau. Puis il y a ma position allongée, indispensable à l'équilibre de la barque : ma tête affleure à peine au-dessus du bordage et les eaux filent sous moi à quelque trente centimètres ! Un peu comme si je flottais sur la rivière, sensation que connaissent à fond ceux qui pratiquent le canoë et le kayak, ces minuscules embarcations qui sont de véritables prolongements de leurs corps.

Les chaînes de montagnes qui bordent la vallée se rapprochent de plus en plus. Vers l'est, d'où nous venons, l'énorme masse hémisphérique de la Nahanni Butte couronne toujours l'horizon ; avec l'enneigement de ses flancs on dirait une planète morte posée sur le paysage, ou plutôt un chapeau de Napoléon dessiné par les plissements rocheux qui affinent sa silhouette.

Nous voyons s'enfuir vers le nord la chaîne de la Nahanni à l'ouest de laquelle s'ouvre une profonde vallée boisée. Cette partie des Rocheuses du Mackenzie est une véritable jungle où la forêt triomphe de la roche, escalade les pentes. Le spruce et le saule tapissent les versants, mais les îles de la Nahanni sont couvertes de hauts peupliers, de « liards », aux troncs rugueux, qu'affectionnent les castors. Nous longeons une île où ces animaux extraordinaires viennent d'exercer leurs ravages : partout des arbres couchés, rongés à la base, ou même sectionnés. Dans son travail, le castor est admirable d'intelligence. Il aime particulièrement les pousses tendres des bourgeons, les nouvelles feuilles, mais comme il ne peut grimper aux arbres, il fait venir les arbres à lui, grâce à une technique qui laisserait pantois un bûcheron spécialisé.

L'arbre à abattre est attaqué à cinquante centimètres environ de sa base par l'animal debout qui s'appuie sur le tronc avec ses pattes antérieures ; le ou les castors — ils se mettent à plusieurs lorsque le tronc est important — commencent à ronger le bois en spirales ascendantes, comme s'ils travaillaient avec une gouge. D'abord écorcé sur environ trente centimètres de largeur, le tronc est ensuite découpé patiemment, jusqu'à ce que l'arbre entier ne repose plus que par une section de quelques centimètres, l'entaille affectant la forme d'un diabolo. D'une simple poussée le petit animal peut alors faire choir un arbre de plus de vingt mètres de hauteur exactement dans la direction choisie.

Parfois tout se passe bien, l'arbre se couche sur le sol et les castors commencent à le débiter, comme un bûcheron ferait des billons, puis les branches elles-mêmes sont sectionnées, et les tronçons transportés jusqu'au bras de rivière où s'élèvera le barrage. Il s'agit généralement d'un petit bras de la rivière recouvert par fortes crues, le barrage ayant pour but d'y retenir les eaux et de maintenir un niveau constant. C'est là que sont bâties les huttes des castors avec ouverture sous le niveau de l'eau. Du chantier forestier au village de castors les animaux tracent un véritable chemin, boueux, creusé dans la glaise, empruntant les rus. L'arbre taillé ne tombe pas toujours, la forêt est si dense qu'il lui arrive de rester accroché. Alors le castor recommence un peu plus loin et là où une colonie de castors a travaillé, on dirait un véritable chantier forestier, une coupe à blanc estoc !

Le paysage change sans cesse avec les sinuosités de la rivière. Où est le nord, où est le sud ? S'il n'y avait les montagnes pour nous orienter nous serions parfois bien embarrassés. Une dernière courbe de la Nahanni nous amène à frôler une étrange montagne calcaire, que ses plissements bouleversés et divergents ont fait nommer : « Twisted Mountain », la montagne vissée ou tordue.

Le P. Mary dirige l'embarcation sur une petite crique rocheuse où vient mourir le contre-courant. Nous l'amarrons avec peine à une souche.

« Ça vaut bien une halte ! » dit-il.

L'endroit est magnifique. L'arête rocheuse qui vient mourir dans la rivière abrite un petit plan d'eau calme. On mesure mieux la vitesse du courant — dix miles à l'heure environ — dans cette courbe où toutes les eaux viennent buter contre le rocher. J'admire et le P. Mary rectifie :

« Le courant est faible par rapport à celui des cañons ! »

Il organise son bivouac avec joie. C'est la halte classique des trappeurs, des Indiens. Le P. Mary se rit de notre petit réchaud à butane. Pour lui rien ne vaut un bon feu. Il entasse le bois mort en un bûcher magnifique d'où s'élèvent de hautes flammes et taille une branche de saule vert qui, plantée en terre selon un angle calculé, formera crémaillère au-dessus du brasier. On puise l'eau à la rivière, on ouvre des boîtes, on taille dans un filet d'élan cuit la veille, menues besognes pleines de sérénité, travaux d'homme libre échappé aux contraintes de la vie moderne, merveilleuse détente où le rêve flotte sur les eaux grises, remonte les versants boisés, s'attarde sur les détails des plissements rocheux...

181

« Vous voyez, en face, sur la rive gauche, à mi-hauteur de cette falaise, cette grosse tache blanche...

— Un névé ? dis-je.

— Non ! Une sorte de sablière, d'où s'échappent par grand vent des tourbillons de fumée ! Les Indiens considèrent ce lieu comme sacré, « c'est l'origine de tous les vents... », disent-ils. Il s'agit en fait d'un dépôt de sable argileux, ennoyauté dans la masse, et dont l'effritement progressif a provoqué une sorte de grotte... »

Aujourd'hui la « source des vents » ne fume pas. Alentour la neige des derniers jours fond lentement, recule en altitude.

Devant nous court la rivière tumultueuse ; au-delà, des chaînons calcaires enserrent des vallées inconnues qui portent un nom sur la carte mais que personne au fond n'a explorées. Les topographes modernes voyagent et travaillent par avion.

« Dans toutes ces vallées on a trouvé de l'or, du cuivre, dit le P. Mary, suffisamment pour qu'un jour un prospecteur s'y soit aventuré, y ait hiverné, puis soit revenu fortune non faite... »

De « Twisted Point », le cours de la Nahanni se précise ; nous en avons fini avec les méandres, le courant devient plus rapide; l'horizon, toujours très large jusqu'à cet endroit, se ferme progressivement, et nous remontons maintenant une vallée étroite qui vient buter

182

contre les montagnes de l'ouest. Nous approchons de Hot Springs, la limite du monde habité.

La rive gauche de la Nahanni, recouverte d'une épaisse forêt, tombe par un à-pic rocheux d'une cinquantaine de mètres directement dans la rivière, la rive droite s'élargit en une combe d'où débouchent de petits torrents. Partout la forêt est souveraine, elle s'accroche aux moindres aspérités de roc ou de terre, surplombe les falaises. La lumière de cet après-midi nuageux est grise, avec des fulgurances orange qui passent sous les nuages. Eclairage sévère qui s'ajoute à la gravité du site : falaises, rocs, éboulis, spruces dressant leurs piliers de cathédrales sur les crêtes, fouillis de peupliers et de saules sur les replats inondés qui bordent la rive ouest !

Quelques miles avant Hot Springs, la rivière longe une imposante falaise qui surplombe les eaux de la Nahanni. Le courant s'y précipite, la navigation devient plus délicate, des écueils rocheux surgissent, des blocs de glace, résidus de l'« ice-foot » de la débâcle, se cachent dans les grottes affouillées par les eaux, et devant nous apparaît l'entrée du Premier cañon !

C'est bien ainsi que je me l'imaginais ! Une coupure franche dans les hautes parois calcaires, mieux tranchée que les gorges du Tarn, une porte par où s'échappent les eaux de la Nahanni après cinq cents kilomètres de parcours dans les montagnes pratiquement incon-

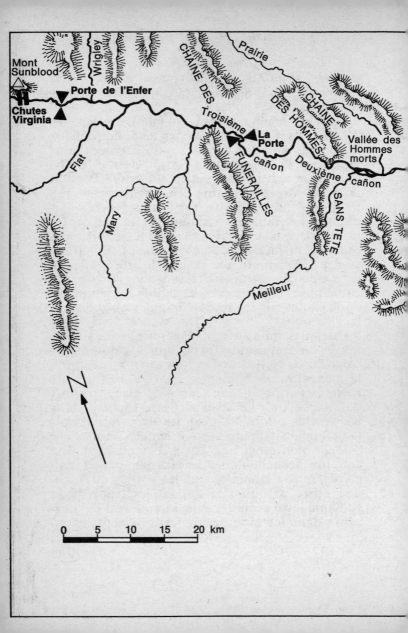

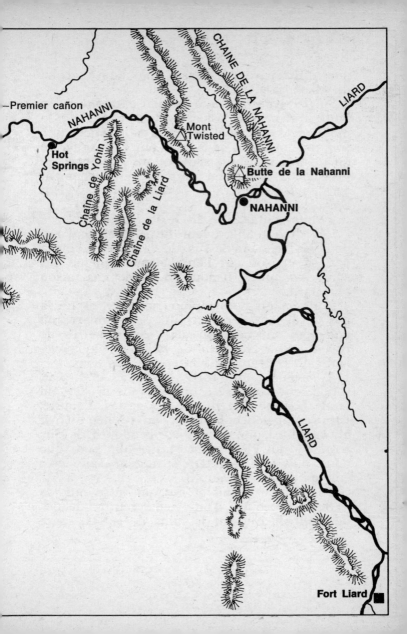

nues qui séparent le bassin du Yukon de celui du Mackenzie.

Sur la rive opposée à la falaise, une terrasse boisée forme une oasis touffue au pied de la montagne verticale. Une petite cabane découvre son toit moussu, puis une autre, jusqu'à ce qu'apparaisse, minuscule dans ce paysage prestigieux, la maison pimpante et fraîchement vernie de Gus Kraus. Nous sommes à Hot Springs !

« Vous sentez ?... » dit le P. Mary.

Une désagréable odeur de soufre ou d'œuf pourri stagne au-dessus de la rivière. Gus a bâti sa maison sur l'emplacement même des sources chaudes. Il nous en donnera la raison plus tard.

Nous manœuvrons pour accoster, il n'y a pas de débarcadère véritable, on s'amarre où l'on peut sur cent ou deux cents mètres de rivage, selon l'humeur de la Nahanni, la violence du courant, la hauteur de ses eaux.

A l'avant d'une forte barge à fond plat, solidement attachée à un arbre de la rive, un jeune homme fait de grands gestes d'amitié. Etrange présence humaine en ce lieu ! C'est Mickey, un jeune Indien, le fils adoptif de Gus Kraus, à qui Pierre lance notre filin pour que nous puissions arrêter le moteur sans être emportés par le courant.

Un homme grand et sec, en vêtements de « bush », coiffé d'un vieux feutre délavé, descend allègrement le talus de galets, saute

186

dans la barge et nous fait un signe d'amitié à son tour.

« Hello ! Gus !

— Hello ! Father, Gentlemen ! »

C'est tout. Déjà l'homme dirige l'appontement, lance un cordage dont Pierre s'empare, bouscule un peu Mickey pour qu'il retienne la barque que le courant a tendance à emporter, amarre solidement celle-ci contre la sienne, jette un rapide coup d'œil sur notre chargement, fait la moue. Le P. Mary qui comprend tout le rassure :

« Ma barque a très bien remonté jusqu'ici avec un seul moteur. Alors, si on en met deux... hein, Gus ! »

Pas de réponse. Gus aide à décharger l'indispensable pour la nuit — on fait la chaîne jusqu'au sommet de la berge, haute d'une dizaine de mètres — puis nous précède sur un sentier herbeux jusqu'à sa maison.

Celle-ci est un véritable bungalow colonial. Longue d'une quinzaine de mètres, elle forme un rectangle parfait, avec un toit à un seul pan et de belles ouvertures taillées à même les énormes troncs de spruces qui ont servi à la construire. Une sorte de véranda, face à la rivière, permet de surveiller la Nahanni jusqu'au coude sud de la falaise rocheuse. Déjà, par la force de l'habitude, nous ne sentons plus la persistante odeur de soufre. En revanche, le fracas de la rivière, joint à la vision des eaux qui fuient vers l'aval, donne une impression de puissance surnaturelle en accord avec l'étrange beauté du site.

L'intérieur de la maison de Gus Kraus réserve d'agréables surprises. Tout y est d'une propreté méticuleuse, l'immense pièce est coupée aux deux tiers de sa longueur par une séparation boisée, qui dissimule les lits, le bureau du prospecteur, son poste émetteur de radio. De l'autre côté, c'est la salle commune, sobrement mais efficacement meublée, avec un coin cuisine — une très belle cuisinière à mazout —, l'eau courante sur évier (un véritable luxe) et la lumière électrique (produite par une génératrice à essence). La table à manger est placée devant la fenêtre principale. Gus s'y tient en permanence, assis dans un fauteuil de sa fabrication, ses jumelles à portée de main, pour surveiller la rivière.

Mais je ne vous ai pas encore présenté Mary Kraus, sa femme, une Indienne de la tribu des Slaves, de Nahanni Butte. Gus nous ayant avoué avec coquetterie son âge : soixante-douze ans, je suppose que Mary peut avoir la soixantaine. Elle est vive, active et très propre, elle a dû être belle du temps qu'elle était jeune et avait toutes ses dents. La venue de visiteurs lui est toujours agréable ; Gus Kraus lui-même aime les visites, surtout celles du P. Mary qui est son ami de longue date.

Le thé est servi, avec un excellent gâteau fabriqué par la maîtresse de maison. Sans s'occuper de nous, Gus et le P. Mary entament alors une interminable conversation qui se prolongera jusqu'au milieu de la nuit. Ils ont beaucoup de choses à se dire ; Gus Kraus a son poste de radio privé, il est pratiquement toujours à l'écoute et il sait parfois des nouvelles que le P. Mary, assez négligent dans ses vacations radiophoniques, ignore. Ce soir nous appellerons Fort Norman, un poste sur le Mackenzie que Gus réussit à capter. Un missionnaire y est à l'écoute, il paraît un peu surpris de savoir que le P. Mary est à Hot Springs.

« Que faites-vous dans ce satané bled ?

— Je visite mes paroissiens », répond sans rire le P. Mary.

Ensuite on capte Simpson, Fort Liard, on écoute, sans se manifester, les conversations qui s'échangent, comme chaque soir, à travers les immenses territoires du Nord. Grâce à la radio, aucun de ceux qui parlent ou écoutent ne se sent abandonné dans sa plus grande solitude.

Le P. Mary explique ensuite à Gus que le policier de Fort Liard ne viendra pas. Gus hoche les épaules sans rien dire. Il a beaucoup de respect pour la Police montée. A ses yeux elle représente la Loi, et Gus, chose assez rare chez un aventurier de sa classe, est respectueux des choses légales ; d'ailleurs, ici, à Hot Springs, à l'avant-garde du monde habité, il incarne en somme et sans aucun mandat l'Autorité. C'est à lui qu'on demande la plupart des renseignements sur la Nahanni, la hauteur des eaux, la vitesse du courant, les noms des visiteurs venus jusque-là. En ce moment il se fait beaucoup de soucis à l'idée de témoigner dans l'accident d'avion qui a coûté la vie à trois jeunes de Fort Smith, il y a un mois, près des Virginia Falls ; ce sont les derniers morts de la Nahanni. Gus a aussi participé aux recherches entreprises pour retrouver les quatre Suisses qui se sont noyés aux Portes de l'enfer, et à bien d'autres encore.

Le P. Mary et lui n'ont pas abordé le sujet qui nous intéresse, la remontée de la rivière ; ils discutent de politique, le père critiquant assez vivement la politique indienne du gouvernement, Gus Kraus défendant l'Administration.

Mary nous sert un repas copieux et bien préparé, elle tourne autour de nous, bavarde et empressée ; son anglais est bon et elle se rappelle encore quelques mots de français, car comme toutes les Indiennes de son âge, avant qu'on ne construisît des écoles publiques dans le Nord, elle a été en pension chez les Sœurs françaises de Simpson. Elle ne perd pas un mot de la conversation, couve du regard le P. Mary, et me dit en aparté :

« Le P. Mary et le policier, voilà les deux grands amis des Indiens. »

En revanche elle ne paraît pas plus enthousiasmée que son époux par le fait que les Territoires du Nord-Ouest possèdent maintenant un haut-commissaire et un gouvernement local...

La nuit ne se décidant pas à venir, Mickey nous propose d'aller l'aider à relever ses filets. Clopin-clopant je suis Pierre et le jeune Indien qui s'engagent à travers les arbres magnifiques de la forêt, sur une piste carrossable marquée par les ornières inattendues d'un tracteur. Gus Kraus possédait, il y a quelques années, une lourde barque, sur laquelle il avait chargé l'engin abandonné par une entreprise agricole et acquis pour une bouchée de pain. Le transport jusqu'à Hot Springs avait été épique, paraît-il, et duré plusieurs jours, mais le tracteur est là et grâce à lui Gus Kraus a pu traîner les troncs entiers de spruce avec lesquels est bâtie sa maison. Ce qui en explique les dimensions inusitées. Ce tracteur est le seul engin motorisé de Hot Springs, son domaine : un kilomètre de pistes à travers la forêt le long des berges de la rivière.

Pierre et Mickey, qui vont d'un bon pas, franchissent d'un saut un marigot et disparaissent à ma vue. Alors je rebrousse chemin, admirant la munificence de la végétation. La terrasse de Hot Springs est tout entière baignée par les sources chaudes, et si l'on creuse la terre à deux mètres, l'eau jaillit à 34 degrés, dégageant son odeur de soufre.

Dans le périmètre des sources la terre *ne*

gèle pas, c'est pourquoi Gus Kraus s'est installé en ce lieu sauvage. Le sol est ferme sous sa maison, et les hivers plus doux qu'ailleurs, enfin les arbres atteignent une très grande taille, et le sol arable est si fertile que Gus, excellent jardinier, peut faire pousser n'importe quel légume pendant le court été du Nord.

Le P. Mary rentre des sources, il a tenu à se baigner, mais ce bain thermal cause une fatigue supplémentaire à peine compensée par le bien-être ressenti.

La conversation reprend entre les deux hommes, entrecoupée parfois par un appel de la radio. Le « Water Service » nous apprend de cette façon que l'hydravion du service des eaux, chargé de mesurer la hauteur et la force des eaux de la Nahanni, viendra se poser ici demain matin.

« On partira dans l'après-midi, dit Gus, je dois être là pour cette vérification. »

Cela nous retarde encore, mais c'est la première fois que j'entends les mots « on partira », voilà qui est bon signe, Gus est décidé. Pendant deux heures le père et lui vont discuter, mile après mile, la remontée de la Nahanni ; Gus n'a pas été aux « Falls » depuis dix ans, mais il connaît chaque courbe, chaque affleurement, chaque rapide. Tous deux calculent minutieusement la quantité de carburant à emporter ; la barque de Gus est beaucoup plus lourde et importante que celle du P. Mary et on devra la charger de cinq cents litres de carburant.

La conversation roule ensuite sur la Vallée des hommes morts, la Porte de l'enfer, des quatre Français qui, en 1965, ont réussi la descente de la rivière. Parce que leur exploit n'avait qu'une valeur sportive, et n'apportait aucune notion nouvelle sur la rivière et sa navigation, Gus et le P. Mary sont enclins à les critiquer assez sévèrement. Encore une fois Pierre et moi nous les défendons avec chaleur. Mais on sent bien qu'ici, dans ce Grand Nord, où la vie est déjà précaire, on ne prise pas particulièrement ceux qui la risquent pour rien ; pour avoir vécu dans la Nahanni trente-cinq années de sa vie, et l'avoir remontée jusqu'aux Chutes, avec un canot poussé par un petit moteur de 10 CV, pour avoir hiverné à plus de cent miles d'ici vers le nord, sur la Flat River, affluent de la Nahanni, Gus ne peut s'intéresser qu'à ceux qui « font » la Nahanni dans un but précis, qu'ils soient prospecteurs, hydrographes, géographes, trappeurs...

C'est avec un soin méticuleux que les deux hommes préparent l'expédition du lendemain ; parfois leurs avis divergent, et la discussion prend un ton presque acerbe, mais ils sont vite d'accord. Le P. Mary trouve à qui parler avec Gus qui défend ses opinions âprement. Son visage est expressif au possible, sa mimique ravirait un photographe et Pierre ne se prive pas de prendre cliché sur cliché dans le feu de la conversation. Gus Kraus a accroché à une patère sa vieille casquette à oreillères, il dévoile un crâne chauve qui prolonge le visage basané et ridé, mais dont la peau est agréablement polie comme celle d'un vieil ivoire. Chez lui, ce qui frappe, c'est la mobilité du regard, la lumière étrange de ses yeux bleu pâle qui trahissent ses pensées secrètes. Parfois un sourire illumine la figure basanée et alors Gus, le trappeur septuagénaire, a un visage d'enfant.

Gus Kraus est arrivé sur la Nahanni en 1934, après avoir prospecté plus de dix ans sur la Peace River. Primitivement il était installé à Nahanni Butte, c'est là qu'il a épousé Mary l'Indienne, sa fidèle compagne qui le suivra partout. Mary, la Slave au tir d'une rare précision, parcourt en tout temps la forêt et la montagne et lui a fait connaître cet étrange pays où ses ancêtres depuis toujours font parfois de rapides incursions. Gus, c'est avant tout le prospecteur, le casseur de cailloux, le géologue *de facto*, sachant sans étude spéciale reconnaître une roche, un filon, un plissement. Mary l'Indienne, c'est le chasseur à l'état pur, sachant relever une trace, piéger, poursuivre le grand loup gris, l'ours, le lynx, le mouton sauvage, l'élan, le castor. Aucun fauve ne l'effraie. Les mauvaises langues du pays disent que grâce à elle — une Indienne — Gus possède un permis de chasse permanent. Mais cette femme étrange, avenante, n'a pas besoin d'un homme pour chasser, elle est la chasse elle-même. C'est elle qui tue, qui dépouille le gibier, fait sécher le poisson, prépare les trophées, les fourrures...

Autour de la maison de Gus, on ne trouve pas le désordre habituel aux Indiens. Au contact de son mari, et peut-être grâce à l'éducation des bonnes sœurs, Mary a appris des notions de méthode, d'ordre, de propreté ; ici, à Hot Springs, tout est rangé, les réserves ne manquent pas, du grenier jusqu'à la « cache » sur pilotis de trois mètres, où le ménage Kraus entrepose les fourrures à l'abri des visiteurs nocturnes : lynx ou loups. Deux magnifiques chiens montent la garde, et poursuivent les ours et les loups parfois trop entreprenants l'hiver, lorsque la température descend à — 60 degrés. Cet hiver notamment, un lynx est venu dévorer la viande sur le séchoir en plein air à dix mètres des fenêtres de Mary.

Une question m'intriguait :

« En dehors de la rivière, Mary, existe-t-il une piste qui permette d'accéder à la Vallée des hommes morts ?

— Il y a un sentier par la montagne, il est très escarpé, et il faut le connaître, mais on y passe rarement, la rivière est le chemin le plus court.

— Mais aussi le plus dangereux ! »

Elle hausse les épaules :

« La montagne aussi est dangereuse... »

Il pouvait être une heure du matin et les deux hommes discutaient toujours ; Pierre et Mickey étaient revenus de la pêche, avec une dizaine de poissons relevés dans les filets. Le sommeil me prenait. Le P. Mary s'en aperçut et dit :

« Etalez votre sac de couchage sur le plancher et dormez, ne vous inquiétez pas de nous... »

Je fus long à m'endormir, écoutant la conversation générale, bercé dans ma somnolence par des mots qui revenaient sans cesse : courants, moteurs, hélices... Juste au-dessus de ma tête, sur un râtelier fixé à la paroi, s'alignaient, astiquées et impeccables, les sept ou huit carabines de Gus Kraus, tous calibres, tout gibier ! Le poste de radio grésillait dans l'alcôve, Mary faisait la vaisselle ; dehors, parfois, les chiens hurlaient violemment, et Gus, sans se déranger de sa chaise, les faisait taire d'un commandement énergique, lancé comme un cri. Puis il se tournait vers le P. Mary et ajoutait d'un ton détaché :

« Un ours noir sans doute, les chiens l'ont senti, il y en a un qui est très curieux, il vient tous les soirs... »

Ses yeux brillaient de malice, il parlait toujours, il n'était pas pressé d'aller dormir.

Quand je me réveillai, Gus était déjà levé et se rasait consciencieusement devant une glace minuscule, Mickey dormait, Mary s'activait devant ses fourneaux, comme la veille.

Tout était paisible, intime.

J'ouvris la porte et reçus comme un avertissement, en pleine figure, le souffle du vent qui descendait des cañons.

PREMIER CAÑON
VALLEE DES HOMMES MORTS

LA barque de Gus Kraus est plus large que celle du P. Mary, moins fine de ligne, mais incontestablement plus solide. Tous ses éléments ont été renforcés, notamment le fond et les plats-bords reliés par des entretoises qui assurent une plus grande rigidité ; un léger pontage à l'avant permet d'abriter le matériel précieux. Cette plate-forme est très pratique pour accoster le long des berges, un fort tolet d'amarrage y reçoit une corde de quarante mètres en nylon qui ferait le bonheur d'un alpiniste. Je m'étonne de sa longueur :

« Il arrive qu'on ait besoin de tout ça pour trouver un point d'amarrage solide », me dit Gus.

Le P. Mary travaille d'arrache-pied à installer et jumeler les deux moteurs de 35 CV fixés sur l'arrière, à disposer les nourrices d'essence, et surtout à équilibrer le lourd chargement de carburant qui, à lui seul, tiendra toute la place disponible. Le transport des vivres, le transbordement des fûts d'essence prennent toute la matinée. Celle-ci n'est troublée que par l'arrivée de l'hydravion du « Water Service » qui amerrit en remontant le courant ; Pierre, lui-même pilote averti, admire la maîtrise de celui qui pose le lourd « Otter » sur les vaguelettes agitées et brisées de la rivière, maintenant son lourd hydravion à la force du moteur sur ce flot qui descend à dix miles à l'heure. L'accostage sera long et difficile car la rivière a baissé de plus d'un mètre durant la nuit et des rochers invisibles la veille affleurent maintenant.

L'hydravion s'amarre à quelques centaines de mètres en amont, juste à l'aplomb des falaises qui forment la gigantesque porte d'entrée du Premier cañon. Après avoir vérifié les amarres, le pilote se dirige à pas lents vers la maison de Gus sans plus s'occuper du reste. L'ingénieur du « Water Service », lui, se met au travail, aidé par Mickey. Il dispose en permanence ici d'un solide canoë métallique sur lequel il installe un moteur hors-bord descendu de l'hydravion. Les deux hommes tendent un câble d'une rive à l'autre ; le long de ce câble, à distance régulière, ils vont mesurer la vitesse du courant de la Nahanni, opération qui leur prendra trois ou quatre heures. Comme nous ne pouvons pas faire grand-chose pour aider le P. Mary ou Gus, Pierre escalade des falaises en quête de photos et je poursuis ma promenade autour de la maison pour éprouver ma jambe. Sur les terrasses d'alluvions, la forêt défrichée a repoussé sous la forme d'un maquis de groseilliers sauvages traversé par des sentiers bien entretenus qui conduisent à des plates-bandes cultivées, isolées par la tranchée profonde des divers ruisseaux qui composent les sources chaudes. Peupliers et liards confèrent à ce lieu un aspect de parc insolite. Le silence y est total et, bien que la Nahanni soit toute proche, on n'entend plus le sourd grondement de ses eaux ; la montagne commence immédiatement à cet endroit par des pentes escarpées couvertes de spruces ; plus haut, plus loin, c'est la forêt, les pistes connues seulement de quelques Indiens, les hautes falaises qui surplombent l'entrée du Premier cañon.

Dans la litière de feuilles mortes je vois pointer un petit cône brun, une morille ! Ma passion de chasseur de champignons m'a fait parcourir bien du chemin dans ma bonne vallée de Chamonix mais les morilles y sont rares, et voici qu'en furetant je fais très rapidement une récolte qui aura peine à tenir dans mon bonnet fourré de trappeur. Je reviens plus fier que si j'avais fait une grande découverte. A vrai dire mes compagnons ne sont guère rassurés, mais Mary affirme que ces champignons-là sont bons et me promet qu'elle nous les fera sauter à la poêle !

Le pilote de l'hydravion, Pierre et moi, nous

avons dégusté, sans arrière-pensée, ces excellentes morilles. Gus et le P. Mary y ont goûté du bout des lèvres, pour me faire plaisir... Un instant nous avons oublié le proche départ, autour de cette table bien servie, dans cette merveilleuse oasis des terres du Nord, qui est peut-être le lieu habité en permanence le plus éloigné des groupements humains.

L'hydravion qui s'est posé ce matin venait de Fort Liard. Avec un tel engin, la distance ne compte pas ! Le pilote et l'ingénieur du « Water Service » seront ce soir à Yellowknife, puis ils iront dans les « Barren Lands » ; leur tournée de près de cinquante mille kilomètres dure tout l'été. Gus Kraus ne revoit pratiquement jamais les gens qu'il reçoit, sauf ceux qui reviennent une fois l'an pour les besoins du service et ont fini par compter parmi ses bons amis. Ce sont le forestier, l'ingénieur des eaux, le policier, très rarement un administrateur ou un officiel plus chevronné.

Nous avons mis sept heures pour venir en barque de Nahanni Village jusqu'à Hot Springs ; par la rivière il y a cinquante miles, environ quatre-vingts kilomètres, mais Nahanni Village n'est qu'un campement indien à cent miles à vol d'oiseau de Fort Liard, ou de Fort Simpson, et ces deux postes administratifs sont eux-mêmes à deux cents miles de Yellowknife, qui n'est en somme qu'une bourgade plus importante, etc. Pour retrouver une agglomération humaine, une ville, un territoire peuplé, cultivé, il faut redescendre sur plus de deux mille kilomètres en direction du Sud, jusqu'à Edmonton... Imaginez ce couple de vieillards, hivernant en ce lieu sauvage, isolés du monde par les difficultés de la rivière, installés confortablement dans leur solitude mais à la merci de la maladie, de l'accident possible...! Pourtant Gus Kraus a choisi ce site pour y terminer sa vie. Bien sûr! comme Dick Turner le « Trader », il annonce toujours qu'il va partir ; ici, selon lui, il ne peut pas faire instruire convenablement son fils adoptif. Mickey a quatorze ans, il est nonchalant et bien élevé, il aime la chasse et la pêche. La science empirique que lui inculquent sa mère et le vieux trappeur devrait amplement suffire, semble-t-il, à lui assurer le bonheur d'une vie tranquille dans cette forêt où il est né. Parlant couramment l'anglais et le dialecte slave, sachant mieux que lire et compter, connaissant bien les plantes et les animaux de la forêt ou de la rivière, ayant également reçu de Gus Kraus des notions réelles de géologie et de minéralogie, Mickey me paraît bien armé pour la vie. Que deviendra-t-il s'il « descend » vers les villes pour se faire « graduer » dans une quelconque université ? Il peut devenir le roi du bush ; dans notre monde civilisé il ne sera jamais qu'un pion anonyme sur un échiquier truqué !

Gus Kraus est revenu de la rivière en annonçant :

« Le *Water officer* retire son câble, on peut passer ; le temps de signaler son départ à la radio et en route ! Il faut que ce soir nous ayons franchi le Premier cañon ! »

Le Premier cañon, tout le monde (entendons par là, tous ceux qui ont poussé jusqu'à Hot Springs) est censé l'avoir remonté. Il est bien connu ! A croire que la rivière y est moins difficile que plus haut. Ce n'est pas l'avis de Gus ; aujourd'hui les eaux sont basses, et pour le franchir on a, paraît-il, intérêt à ce qu'elles soient hautes. Nous allons voir pourquoi.

C'est par une véritable tranchée taillée dans le roc que la Nahanni sort ici des montagnes ; sa rive droite est formée d'une muraille verticale, parfois surplombante, de plusieurs centaines de mètres de hauteur, crêtée à son sommet par la lisière de la forêt ; la rive gauche, aussi abrupte, est plus boisée ; les arbres s'y accrochent dans les replis des falaises, où s'ouvrent de nombreuses grottes, abris des ours noirs qui viennent souvent se promener le soir jusqu'à la rivière.

La Nahanni mesure dans ce défilé environ cent cinquante mètres de largeur, les eaux comprimées dans leur lit étroit s'en échappent à grande vitesse, et le P. Mary, qui tient la barre, fait donner toute la force des moteurs. A son côté, Gus Kraus, assis nonchalamment, surveille la rivière. Il en sera ainsi durant tout le voyage, il n'est pas trop de deux paires d'yeux pour déjouer les pièges qui surgissent à chaque instant. Nous passons devant l'hydravion du « Water Service », qui oscille sur ses flotteurs, son équipage s'apprête pour l'envol, Mickey nous adresse un dernier signe de main.

Déjà nous sommes engagés dans le défilé, et comme le cañon décrit un virage prononcé, la vallée que nous venons de quitter disparaît, masquée par une haute falaise calcaire.

Nous venons de quitter les terres habitées.

Dans la courbure du cañon les eaux se précipitent avec force contre la paroi rocheuse et forment un rapide imposant, une véritable irruption liquide toute de remous, de tourbillons, de vagues courtes et sèches. Le bruit des moteurs lancés à plein régime domine à peine le tumulte des eaux torrentielles. Jamais je n'aurais imaginé qu'on puisse voguer sur un flot aussi tourmenté dans une embarcation aussi rudimentaire. Dès le début Gus m'initie à la navigation sur cette rivière qu'il connaît mètre par mètre ; il faut longer le flot dans sa courbure interne, mais en veillant à ne pas trop border la rive convexe que les basses eaux découvrent et qui n'est qu'une plage de galets sur lesquels on pourrait s'échouer, il ne faut pas non plus se laisser prendre par le courant qui entraînerait immédiatement l'embarcation contre les parois rocheuses où les eaux se brisent et tourbillonnent. Tout dépend de la force du moteur et de l'habileté du pilote. Le P. Mary et Gus, contrôlant chacun un kicker, accordent leurs moteurs au ralenti, de telle sorte que nous nous maintenons en ligne sans avancer, puis, sur un *Go !* très bref de Gus les deux engins sont lancés à plein régime, la barque charge les vagues, que sa quille plate survole à la façon d'un hors-bord. Cette barge qui ferait sourire par sa lourdeur et la naïveté de sa construction a été taillée de toutes pièces pour cette rivière, sa largeur l'empêche de tanguer, le seul danger serait une panne de moteur qui la rendrait ingouvernable, et naturellement il ne faut jamais se laisser prendre par le travers. Le passage du premier rapide ne mesure pas plus de cinq cents mètres, avec deux ressauts sous-marins où les tourbillons augmentent d'intensité. Déjà nous sommes dans des eaux plus calmes, le premier obstacle est franchi, très habilement.

« Dites-moi, Gus, comment font ceux qui remontent ces rapides en canoë ?

— Ils font un portage sur la rive gauche, ou bien ils remorquent leur embarcation le long de la grève. Mais, dit-il avec un bon sourire, cela peut vous paraître bizarre, eh bien ! quand les eaux sont hautes il n'y a plus de rapides, la rivière s'étale largement, et on n'est pas entraîné comme ce fut notre cas dans ce couloir tortueux à peine large de cinquante mètres, où la violence des eaux est terrible. C'est ça, la Nahanni, ici il faut de l'eau ; ailleurs, il vaut mieux que la rivière soit basse ; vous passez le matin, vous revenez le soir, rien n'est pareil, il faut toujours sonder, se méfier, et nous avons encore eu aussi la chance de ne pas rencontrer un tronc d'arbre à la dérive, là où les eaux étaient resserrées... »

Le premier rapide est franchi mais le courant reste très violent. Parfois il se sépare en petits bras, isolant des bancs de graviers. Le P. Mary diminue la vitesse, nous avançons au pas. Gus Kraus, qui s'est muni d'une sonde en bois, graduée en pieds et peinte en couleurs alternées rouge et blanche, sonde sans arrêt, dirigeant d'un mot bref son compagnon ; Pierre et moi, nous nous contentons d'admirer le paysage. Imaginez un cañon du Verdon, avec, coulant au fond, une rivière aussi grosse que le Rhône à Lyon ! La hauteur des falaises s'établit entre cinq cents et huit cents mètres ; leur verticalité est coupée par des vires herbeuses, aujourd'hui couvertes de neige, et cette neige fraîche descendant à mi-hauteur des gorges rappelle, dans ce paysage à l'aspect parfois saharien, que nous sommes bien dans les territoires du Nord, tout près du cercle polaire.

Le Premier cañon est long d'environ vingt miles, extrêmement sinueux, et sa remontée nous prendra plus de trois heures. La rivière divague d'une muraille à l'autre, se jetant de plein fouet sur les parois rocheuses, ou sapant la base de la forêt qui, dans les combes intérieures, envahit toutes les pentes accessibles. La roche est d'une belle couleur allant de l'ocre au jaune pâle. Le ciel qu'on aperçoit comme du fond d'un puits est balayé par d'énormes nuages qui sautent à toute allure d'un bord à l'autre de l'abîme. Nous voilà pris dans une sorte de rêve vertigineux où se conjuguent la vitesse des eaux, la verticalité des parois, leurs courbes régulières, la tranchée d'azur où courent les nuages. A deux reprises nous avons remis toute « la gomme » pour franchir les passages resserrés où le courant devient plus rapide, mais après chaque alerte, sagement, le pilote réduisait sa vitesse, parfois même il arrêtait l'un des moteurs à court de carburant, pour brancher les canalisations sur une nouvelle nourrice. Pierre s'occupait du transvasement, il fallait toute sa force pour tenir des fûts d'essence de cinquante litres à pleins bras, les vider dans les entonnoirs garnis de feutre qui alimentent les deux nourrices permanentes, le tout sans ralentir la marche, en équilibre instable sur la barque cahotante ; ensuite on repartait, lentement, plus vite, plus lentement, tirant bord sur bord pour éviter un rocher signalé par une crête d'écume. Parfois on se laissait tenter, les eaux paraissant plus calmes le long du rivage on essayait d'en profiter, mais la sonde impitoyable décelait un haut-fond, nous renvoyait dans les tourbillons.

Vers le milieu du cañon, les yeux perçants de Gus distinguent une tache rouge qui flotte dans une sorte de mare tranquille, provoquée par un contre-courant de la rivière, et il nous fait mettre le cap dessus :

« Five dollars, Gus ! » s'exclame le P. Mary, et Gus tout sourire répond : « Cinq dollars ! »

L'épave est un fût vide d'une contenance de dix gallons, abandonné au courant de la rivière par Dieu sait qui et échoué au milieu d'un barrage de troncs de sapins entrecroisés. A ma grande surprise Gus approche son bateau, moteur au ralenti.

« Que voulez-vous faire ? dis-je, car la manœuvre me paraissait délicate.

— Le ramasser, tiens ! La « Bay » nous compte cinq dollars pour un fût de cette taille... », répond le P. Mary.

Le courant menace de nous rejeter à chaque tentative et l'amas des arbres nous empêche de profiter de sa force au bon endroit. A quelques mètres de distance, comme pour nous narguer, le bidon vide flotte, tourne en rond, inaccessible. Alors Gus et le P. Mary remettent en marche et redescendent le courant pour essayer une autre tactique. Ce bidon ils le veulent, ils l'auront ! Est-ce vraiment l'envie des cinq dollars qu'il représente ? Ou bien cet instinct qui pousse les hommes des bois à recueillir tout ce qui pourra servir plus tard ?

Cette fois, en rasant la falaise, et en poussant à fond le moteur, nous avons pu lancer la barque dans les eaux calmes, mais un banc de sable nous empêche d'aller plus loin. Le

P. Mary saute à l'eau sans attendre, d'un élan mal calculé, qui l'envoie barboter dans la rivière à la grande joie de Gus, puis, réalisant des prouesses d'équilibre sur les troncs flottants, il réussit à repousser le cylindre dans notre direction ; il n'eût pas mis autant d'acharnement à sauver nos dernières ressources en vivres si cela avait été nécessaire. Finalement Pierre et moi nous nous laissâmes prendre à ce jeu, et unissant tous nos efforts nous réussîmes à charger sur la barque encombrée le malheureux bidon de cinq dollars, sans doute envoyé au fil de l'eau par quelque pilote d'hélicoptère venu on ne sait d'où !

Pénétrer dans les remous avait été une grosse affaire, en sortir ne fut pas plus facile, la barque touchait, s'échouait, il fallait la pousser à la perche, moteurs relevés ; enfin, le courant nous emporta et, le temps de remettre les moteurs en marche, nous avions perdu une centaine de mètres. Mais Gus et le P. Mary s'étaient amusés comme des fous ; l'épisode semblait faire partie d'un jeu que nous ignorions... par la suite la chasse aux bidons allait devenir quotidienne...

Cet intermède nous a fait perdre des moments précieux, c'est du moins ce que je pense, car je ne peux me défendre de mesurer le temps, chose absolument inutile ici ; qu'importent une heure, une journée, une semaine ! Quand on remonte la Nahanni, il n'y a pas d'horaire qui tienne. A moi de m'enraciner cette idée dans la tête ! Mais mon impatience n'est-elle pas due à cette inquiétude latente qui se glisse en moi ?

Les grosses difficultés, nous les rencontrerons, je le sais, juste avant les chutes Virginia, à la « Porte de l'enfer », alors je voudrais déjà y être, savoir, découvrir... et il me semble que chaque minute perdue augmente ma fébrilité.

Nous avons accosté quelques miles plus haut, au point où les falaises s'écartent pour permettre à une belle forêt de spruces de se chauffer au soleil, au pied des surplombs calcaires. Une petite île boisée nous accueille, Pierre saute à terre et déroule sa longue corde, bien nécessaire cette fois pour trouver un point d'amarrage solide.

« Pourquoi cet arrêt, père Mary ? »

Il me regarde ironiquement :

« Pour décharger le bidon vide : nous le prendrons au retour, cet endroit est toujours accessible. »

Gus, qui a disparu dans la broussaille, revient peu après, porteur d'un deuxième fût vide, le visage rayonnant. Vingt gallons ! celui-là vaut dix dollars...

« Bonne journée ! » dit-il.

Gus connaît si bien sa rivière qu'il sait exactement où vont s'échouer les épaves ; il connaît aussi, je l'apprendrai par la suite, toutes les caches faites par ceux qui remontent la Nahanni et ne veulent pas se faire repérer ; car dans ce désert riche en eaux, en montagnes et en forêts, mais inhabité, on découvre à chaque pas qu'on a été précédé. La Nahanni, une rivière inconnue ? Non ! une rivière d'initiés ! Les flancs de ses cañons abritent bien des mystères, posent des énigmes qui ne seront pas toutes résolues.

Déjà le cirque se referme, le cañon se resserre et devient plus sauvage ; sur les deux rives les parois tombent directement dans la rivière, le courant augmente, les navigateurs reprennent une surveillance de tous les instants.

« Les rapides ! » crie Gus.

Devant nous se précise le passage étroit par où la Nahanni se précipite en vagues violentes écrêtant les rochers.

« Attention ! dit le P. Mary, couchez-vous dans la barque, ça va secouer ! »

Lui et Gus synchronisent leurs moteurs. Il s'agit de se faufiler par un cheminement délicat, entre le plein courant, brisé, heurté et coupé de rocs affleurants, et les bancs de graviers sur lesquels un échouage serait très dangereux ; c'est dans ce couloir très incliné où les eaux se jettent comme dans une conduite forcée que le P. Mary dirige l'embarcation. Les moteurs ronflent à pleine puissance, une première vague soulève l'avant de la barge qui retombe lourdement, se soulève encore, retombe, tout en tenant remarquablement son cap. Je songe avec un petit pincement au cœur à ce qu'il adviendrait de nous si les moteurs tombaient en panne ; notre lourd chargement serait irrémédiablement écrasé sur les rochers. Bien sûr, Pierre moi savons nager, mais que peut un nageur broyé contre des récifs ? Nous avons embarqué quatre « mae-west », mais nous n'avons pas jugé bon de mettre ces gilets de sauvetage. Le P. Mary trouve que cela l'embarrasse. Gus est philosophe : « Si on tombe à l'eau, dit-il, on s'assomme sur une pierre ou on est hydrocuté par le froid ; dans l'un et l'autre cas les corps seront retrouvés en aval... »

Evidemment c'est un raisonnement qui ne tient pas. Les Français qui ont descendu la Nahanni ont maintes et maintes fois été précipités à l'eau, et chaque fois ils s'en sont tirés. Mais ces hommes étaient des sportifs, ils avaient pu mesurer leur force et leur résistance au cours d'un entraînement sérieux ; Gus et le P. Mary vivent à l'indienne, en fatalistes, ce qui doit arriver arrivera ! Ils ont pris toutes les précautions en ce qui concerne le choix de la barque, du carburant, des moteurs, et ils se fient à leur science de l'eau. Comme ces marins bretons qui naviguent dans les tempêtes et n'apprennent pas à nager, parce que, disent-ils, en cas de naufrage, ils souffriraient plus longtemps.

Le passage des derniers rapides est très long, il s'étale sur plus d'un mile et le trajet

212

n'est pas rectiligne, mais nos navigateurs l'ont franchi avec maîtrise.

Je revois et j'entends encore le vieux Gus indiquer brièvement la direction au P. Mary :

« Ici, père, un peu à gauche, redressez, plus vite, là attention, le courant tourne, forcez sur le moteur ! »

Deux énormes vagues nous ont fait rebondir sur le fond de la barque, puis nous sommes arrivés dans des eaux relativement calmes. Le courant est toujours violent (près de vingt miles à l'heure), mais dans un lit plus régulier, il ne soulève que des vaguelettes à peine perceptibles, que nous voyons à contre-jour, irisées de perles, baignées de soleil, car la montagne s'est brusquement ouverte devant nous, comme un rideau qu'on écarte, dévoilant une vaste vallée qui s'arrondit en un vaste cirque bordé, à l'horizon, par une nouvelle chaîne de hautes montagnes enneigées.

« Deadmen Valley ! dit Gus. *(Il me regarde en souriant.)* Maintenant tout va bien ; jusqu'aux Portes de l'enfer c'est beaucoup moins difficile. Je considère le rapide que l'on vient de franchir comme l'un des plus délicats de la Nahanni en raison de sa longueur !

— Comment avez-vous fait, Gus, quand vous remontiez ici avec un petit kicker de dix chevaux ?

— Portage ! Mary et moi, nous tirions le canot le long de la rive gauche, ou bien nous

le portions après l'avoir vidé de son chargement !

— Ça prenait du temps !

— Rien ne pressait ! »

La Vallée des hommes morts s'étale sur
une vingtaine de miles entre deux chaînes de
montagnes parallèles et la sensation d'étouffement qui nous avait oppressés durant la
remontée du Premier cañon cesse brusquement, comme si nous revoyions le jour après
un long cheminement souterrain. Cette vallée
au nom sinistre semble paisible et accueillante.
Aussi loin que porte le regard on ne voit que
la forêt sans limite, se haussant graduellement jusqu'à la cime des montagnes. Nous
voguons sur le lit d'argent de la rivière comme
si nous flottions sur l'immense tapis vert qui
nous entoure. Dans le ciel immense rendu à
sa véritable dimension, les nuages se remettent
à jouer librement avec le soleil, nous faisant
passer de l'ombre à la lumière, de l'éblouissante réfraction des eaux à l'austérité des
ombres du crépuscule. Nous retrouvons une
Nahanni plus navigable, mais combien capricieuse ! A ce point elle s'étale dans un lit trop
large où, comme dans sa partie inférieure,
elle creuse et tisse un réseau de canaux, de
courants, de bras morts encerclant des îlots
d'arbres. Cette vallée paraît uniformément
plate et pourtant la vitesse des eaux y est
considérable, la pente constante. Large et peu
profonde, la rivière cache ses dangers sous

un aspect débonnaire. Sur ses deux rives s'ouvrent de très larges vallées secondaires, berceaux forestiers limités par de courtes falaises, des éperons rocheux, et les « creek » qui en descendent se jettent dans la rivière par des deltas torrentiels encombrés de galets. Nous longeons quelque temps une berge d'argile abrupte couronnée d'épais taillis de saules et de peupliers sur laquelle on aperçoit une cabane forestière toute neuve, escale des forestiers qui, une fois l'an, se font poser ici en hydravion. Ce paysage rappellerait, amplifié dans toutes ses dimensions, certaines vallées très boisées de la haute Provence fréquentées uniquement par les bergers, mais on y chercherait vainement les pâturages aux herbes rases, seuls quelques chaumes enneigés couronnent les croupes des montagnes. A l'horizon vers lequel nous nous dirigeons, une haute chaîne de montagnes dresse une falaise uniforme, dans laquelle on ne distingue aucune issue. Pourtant, selon Gus, le Deuxième cañon traverse ce relief. Il existe donc dans cette muraille une faille, une nouvelle porte par où nous accéderons à d'autres combes sauvages. Machinalement je me suis retourné, oui ! nous sommes bien prisonniers, derrière nous la muraille est soudée, la coupure par où nous sommes sortis du Premier cañon a disparu dans la masse rocheuse.

Cette Vallée des hommes morts est une vallée sans autre issue que la rivière.

Mérite-t-elle son nom ? Bien que je sache la répugnance de Gus Kraus à évoquer les fantômes, je profite d'une halte durant laquelle le P. Mary décrasse pour la *nième* fois ses bougies pour l'interroger :

« Gus, où se trouvait la cabane des hommes scalpés ? »

Il explore du regard le paysage immense dont les arbres masquent les premiers plans. Notre barque, solidement amarrée à une souche en plein courant, tire sur son filin. Pierre prend des photos.

Après un moment de réflexion — il faut remonter dans le passé, remuer des souvenirs — Gus répond en tendant la main :

« Là-bas ! Mais la rivière ne coulait pas comme à présent. La cabane était au pied de cet escarpement rocheux, sur la riche gauche, il y a encore un bras mort à cet endroit. Toutes les îles devant nous ont poussé depuis. »

Il se tait ; nous écoutons le râle profond de la rivière dont les eaux qui secouent la barque immobile défilent, défilent, matérialisées par les troncs d'arbres à la dérive, les branches qui flottent ; c'est une plainte monotone, languissante, et ce mouvement et tout ce bruit procurent une sorte d'ivresse...

Comme s'il avait deviné mon angoisse, Gus reprend posément :

« Ils sont tout bonnement morts de faim ou de maladie, les ours ont scalpé leurs cadavres. N'oubliez pas l'époque, 1905 ! Ils remontaient

216

ces vallées sans espoir de retour, c'étaient des chercheurs d'or ; le Premier cañon, combien l'ont franchi qui n'ont pas été plus loin ? Ici l'homme seul est condamné à vivre de sa chasse, le gibier est abondant mais fuyant, et quand les fauves se rapprochent de la cabane, c'est qu'ils ont faim et qu'ils vous savent malades ou épuisés ; ça devine tout, les ours ! Ce qui est arrivé aux frères McLeod est arrivé sans doute à bien d'autres dont on ne connaît pas le nom, seuls les Indiens pouvaient dénombrer, à l'époque, les pionniers isolés qui s'aventuraient par ici ! Ils n'ont jamais rien dit, ils ne diront jamais rien, à quoi bon épiloguer... »

On a remis le moteur en marche. Sur la rive droite de vastes espaces, inondés en temps de crue, se découvrent en bancs de sable ou de graviers isolés par des bras morts.

La navigation est toujours aussi délicate. Comment choisir entre deux courants ? Faut-il remonter le plus puissant ? Faut-il choisir au contraire ce bras plus calme qui paraît plus accessible ? Parfois le bras de rivière le plus large n'est qu'un cul-de-sac sans espoir, et il faut carrément s'engager dans un petit rapide pour gagner au-delà le cours principal de la Nahanni. C'est ici que l'immense expérience de Gus se révèle. Il ne se trompe jamais, il rectifie la navigation, il est toujours calme, placide, attentif, servi par ses yeux d'une acuité extraordinaire, à un mile de distance il devine à la coloration ou au reflet des eaux le bon passage ! Il ne s'est jamais trompé ; son attention ne se relâche à aucun moment mais il n'aime pas non plus que ses coéquipiers soient distraits. Ainsi Pierre a crié tout à coup :

« Un ours ! »

L'animal traversait un bras de rivière sur la droite, assez loin d'ailleurs, et bondissait légèrement, faisant jaillir l'eau sur son passage.

« Où donc ? dit le P. Mary, dont l'instinct profond de chasseur se réveillait...

— Là, devant vous... »

Gus l'interrompit d'une voix ferme :

« Barrez à gauche, Father ! on va s'échouer, des ours on a le temps d'en voir... »

Il avait raison, quand on est sur la rivière on ne peut pas faire autre chose que gouverner.

Pierre tempête, il aurait bien voulu prendre une photo, mais l'ours ne l'a pas attendu, un autre bond l'a mis à l'abri du couvert de la forêt...

Une heure plus tard, sans nous en être rendu compte, nous venons à toucher la haute muraille qui nous avait semblé barrer l'horizon. Si elle ne laissait voir aucune gorge, aucune issue possible, c'est que la forêt nous masquait une dernière courbe de la Nahanni qui, sur un ou deux miles, coulait parallèlement à la chaîne. Maintenant le courant s'accélère. Le soleil disparu, nous entrons dans une zone d'ombre qui, tout à coup, fait ressortir la sauvagerie extraordinaire du lieu, et, brusquement, la montagne s'ouvre devant nous.

La porte étroite par où s'échappe la Nahanni, c'est l'entrée du Deuxième cañon.

« Longez la rive gauche, père Mary, dit Gus, on va coucher ici. »

Le lieu est grandiose et inquiétant.

Dans ce revers la banquise de l'hiver n'a pas fondu entièrement et il en reste un « ice-foot » impressionnant, banc de glace sali par les boues, excavé, qui résonne sourdement sous nos pieds. Rien d'autre sur ce rivage que la rivière, la glace et la forêt tombant droit sur la berge. Sur le moment je me suis demandé pourquoi Gus ne nous faisait pas bivouaquer sur l'autre rive, plus agreste, mieux exposée et dénuée de glace, puis j'ai compris qu'il craignait d'exposer notre campement à une crue subite. Mais il existe un autre danger que je n'aurais certes pas pu prévoir. Sur la rive droite, la montagne dresse des abrupts imposants coupés de couloirs herbeux qui doivent servir en hiver d'exutoire naturel aux avalanches. Il n'y a plus d'avalanches à craindre et cependant un grondement soudain s'amplifie dans les gorges ; en face de nous, à mi-hauteur de la montagne, un torrent de terre et de boue dévale la pente et s'abat dans la rivière en provoquant de gros remous.

C'est la rançon du dégel, toute la masse de terre gelée du « permafrost » vient de couler subitement. Par la suite, tout au long des cañons, je devais remarquer de nombreuses coulées qui, toutes, se produisaient vers le coucher du soleil, au moment de la rupture très brusque de la température diurne.

Il ne faut pas moins de quarante mètres de corde pour attacher solidement la barque. Puis Gus cherche un emplacement propice au bivouac et le découvre finalement sur une petite terrasse adossée à la forêt, à quelque vingt mètres au-dessus du lit de la rivière. Il y a du bois mort et des lits de mousse spongieuse entre les fûts de sapins ; on domine l'entrée du Deuxième cañon, d'où monte la grande voix de la Nahanni. Sur la glace de la rive nous avons relevé des traces de loup et d'ours ! Cela ne paraît pas inquiéter mes compagnons. Alors Pierre et moi nous taisons notre petite angoisse, un sentiment d'insécurité irraisonné plutôt, qui est le résultat de bien des choses : le vertige des eaux rapides, la plainte de la rivière, son caractère maléfique, ses légendes et ses drames ! Trois hivers auparavant, dans la taïga du Lac des Esclaves, ou sur les glaces de la banquise, face aux ours polaires, environnés par les loups, jamais nous n'avions connu la crainte. Je sais maintenant que ce sentiment de sécurité que nous éprouvions alors était dû à la présence de la meute des chiens de traîne qui, le soir, autour de notre tente ou des igloos, étaient nos plus fidèles gardiens.

Dans le Nord la rêverie ne va pas sans l'action ; un bivouac même aussi rudimentaire que le nôtre se prépare, il faut d'abord faire un grand feu, qu'on alimentera sans cesse, il faut charrier du bateau au lieu du bivouac les sacs de camping, la nourriture, les objets précieux : caméras, carabines... c'est un va-et-vient continuel. Ensuite on peut rêver, longuement, échangeant de rares phrases avec ses compagnons. Le P. Mary lui-même est moins loquace qu'à l'ordinaire. Quant à Gus, il n'y a qu'à le regarder, assis à croupetons devant la flamme, roulant sa cigarette de tabac blond en plaque qu'il râpe consciencieusement avec son canif pour le réduire en poudre, dégageant une braise, vérifiant la bouilloire où l'eau chante doucement, pour comprendre qu'il est dans son élément, beaucoup plus détendu qu'à Hot Springs, où Pierre et moi n'étions encore pour lui que des étrangers ; ses yeux pétillent de bonheur. Malgré ses soixante-douze ans il est incroyable d'agilité, il ne sait pas marcher doucement, il court à petits pas, le corps penché en avant, comme les hommes de la forêt ; il tient d'eux cette démarche silencieuse, celle du chasseur à l'affût qui sait se déplacer sans faire craquer une branche.

Sans cesse Gus scrute la montagne, en

marmonnant des phrases inaudibles, puis il déclare :

« Sur cette montagne en face, il y a de l'or, et aussi du cuivre, et sur la chaîne derrière nous aussi.

— Vous y êtes allé ?

— Mary et moi on a couru partout dans ce secteur !

— Comment nomme-t-on cette longue chaîne ?

— « *Funeral Range* », la chaîne des Funérailles !

— Pourquoi ?

— Je ne sais pas, on l'a toujours appelée ainsi. Qui est-ce qui l'a baptisée le premier, va savoir... »

Le frugal repas achevé, chacun s'installe pour la nuit. Un bivouac comme je les aime, pas de tente, on choisit son endroit, on s'engouffre dans son sac de couchage, avec, à portée de la main, la montre, la carabine, et on dort face au ciel. Gus et le P. Mary se sont enfoncés dans la forêt pour trouver un lit plus moelleux ; Pierre, qui dort n'importe comment, s'installe n'importe où ; je me loge, pour ma part, entre deux troncs pourris et moussus, qui m'empêcheront de rouler jusqu'à la rivière. A ma tête le foyer où se consument les dernières braises. La nuit trop courte découpe ses ombres sur les falaises, la rivière exhale sa plainte continue, et les eaux rapides s'écoulent avec une telle continuité que le vertige s'empare de moi. Le vertige de la rivière, je ne savais pas que cela existait. Plus tard, des amis canoéistes avertis m'ont dit qu'ils avaient tous éprouvé au début la même sensation.

III

DEUXIEME ET TROISIEME CAÑON
LA « PORTE »

Gus nous a rassurés dès le départ, le Deuxième cañon est plus facile, coupé d'un seul rapide pas très méchant, mais le courant y est très violent, la déclivité étant supérieure à celle de la Vallée des hommes morts. Ce sera uniquement une question d'expérience et de rapport des forces courant-moteurs !

Par une entrée majestueuse en coup de sabre nous pénétrons dans des gorges sinueuses, bordées de parois rocheuses beaucoup plus élevées que celles du Premier cañon. La dernière neige crête encore les sommets de la chaîne des Funérailles, la végétation est rare sur les pentes, quelques peuplements d'épicéas flottent sur les îlots de la rivière. Pour l'équipage rien n'est changé, le P. Mary tient la barre, Pierre photographie, Gus Kraus « devine » les pièges de la Nahanni. Lorsque celle-ci s'étale suffisamment pour faire craindre des hauts-fonds, Gus prend sa sonde et nous avançons plus lentement, le P. Mary prêt à basculer le hors-bord au moindre talonnement de l'embarcation. Le cours de la rivière n'est qu'une suite de courbes à grand rayon, le courant se précipitant avec violence d'une paroi sur une autre, de concavité en convexité. Après une douzaine de miles de navigation dans ce passage saharien, les montagnes s'écartent progressivement, les murs de notre prison s'élargissent, nous débouchons sous des cieux plus vastes et la forêt drape de nouveau les flancs du cañon. Gus cherche sur les vires les moutons sauvages, les bighorns aux cornes en spirales. Qui sait, verrons-nous des élans, des ours ? Rien ! C'est le désert absolu, un tassili subarctique !

Passé les premières gorges, nous remontons une vallée longue et encaissée, où la rivière perd son aspect de cañon ; devant nous, la montagne barre l'horizon, sans qu'on y distingue aucune brèche ; derrière nous elle s'est refermée comme un piège. La Nahanni décrit ses méandres dans ce vaste cirque, moins large, mais plus tourmenté que la Vallée des hommes morts ; la barque remonte le courant sans faiblir, les moteurs tournent rond, la navigation est devenue une habitude : quand on rencontre un accostage favorable on en profite pour nettoyer les bougies, puis on repart. Il semble qu'on soit en route depuis des semaines alors qu'il reste tant à faire ! Nous allons atteindre « The

225

Gate », le plus bel endroit du Troisième cañon, après il faudra franchir la « Porte de l'enfer », arriver jusqu'aux Chutes... ! Nous n'avons pas fait la moitié du chemin et tout ce que nous avons vu et découvert forme une somme d'une telle densité d'émotion que nous voudrions presque voir l'achèvement de ce rêve, ne pas pousser plus avant de peur de tout détruire.

La sérénité sans affectation de Gus Kraus et du P. Mary nous rassure, ils « savent » ! Ce qui nous attend au-delà des montagnes, ils nous le feront connaître en temps voulu ; pas de hâte intempestive !

Il paraît que Jacques Balmat, le conquérant du mont Blanc, était affublé d'un sobriquet qui le dépeignait tout entier : « Bien-le-temps. » Oui ! nous avons le temps, tirons profit de notre voyage au bord des eaux. Les mystérieuses chutes qui sont le but de notre voyage nous les verrons lorsque l'heure sera venue. Ce qui accroît notre impatience, c'est l'impression d'avoir couvert une distance considérable en remontant la rivière à contre-courant. Notre progression lente et régulière de cinq à six miles à l'heure s'en trouve illusoirement quintuplée.

« Combien de miles avons-nous couvert depuis Hot Springs, Gus ?

— Trente miles, peut-être plus, à « The Gate » on aura fait la moitié du trajet. »

Cette question saugrenue l'agace, encore qu'il ne le manifeste pas.

Dans ce cirque, la Nahanni contourne, en un lieu appelé d'ailleurs « la Grande courbe », un chaînon secondaire peu élevé et boisé, sorte de butte forestière qui coupe la vallée en deux. Elle s'y étale sans rien perdre de sa rapidité ; et c'est dans ces endroits d'apparence facile que Gus se doit d'observer avec la plus grande attention. Au-delà de la montagne, nous présentons notre barge à l'entrée du Troisième cañon ; il s'agit plus, comme précédemment, d'une faille, d'une cluse géographique, mais d'une large cassure, étagée en bancs parallèles jusqu'à des sommets qui avoisinent deux mille mètres.

La rive droite est bordée d'un épais talus d'alluvions glaciaires sur lequel a poussé une belle forêt au sous-sol spongieux ; une tache rouge est visible de loin sur le haut du talus vertical qui constitue la berge.

« Un bidon ! » hurle Pierre, qui, telle une vigie, se dresse sur la proue.

Les deux compères n'ont pas bronché, ils ont vu, eux aussi, et dirigent la barge droit dessus... la chasse aux dollars continue, non sans difficulté, car le courant est très fort en cet endroit, il faudra faire vite :

« Pierre, prends la corde, saute et tiens bon ! » crie le P. Mary.

Aussitôt fait ! et la barge vient s'appuyer sur le front du talus.

« Amarre au sapin ! »

Sans attendre qu'elle soit immobilisée, Gus

bondit sur les galets instables ; j'ai déjà dit son agilité surprenante ; en un éclair il a grimpé sur la berge, il examine le bidon, tourne vers le P. Mary une figure épanouie.

« Ten dollars !

— On va le charger ? dis-je au P. Mary ; où le mettrons-nous ? tout est plein !

— Non ! On le laisse ici, mais on va le cacher pour que d'autres ne le voient pas : on le prendra au retour. »

Comme s'il passait chaque jour des barques sur la Nahanni !

Gus a disparu sous les arbres, il revient un peu plus tard chargé d'un fût.

« Celui-ci est plein ! dit-il.

— A qui appartient-il ? »

Gus sourit :

« A la communauté ! L'homme qui est venu ici n'a pas d'imagination, il a laissé un repère. Voilà une reprise qui compensera tous les fûts cachés qu'on m'a pris. »

Tout au long de la rivière nous allons nous livrer ainsi à la chasse aux fûts vides ou pleins. Nos deux compères sont enchantés.

Le Troisième cañon est dans ses débuts très facile, sa largeur fait apparaître la coupure moins profonde, le ciel est vaste, des vallées adjacentes coulent des torrents boueux qui, parfois, cascadent directement dans la rivière, mais nos hommes sont en éveil car, en face de nous, se dresse maintenant une falaise de quelque quatre cents mètres de haut, abso-

228

lument verticale, au pied de laquelle la rivière bouillonne, c'est l'annonce d'un nouveau rapide, attention !

On répète les manœuvres : synchroniser les deux moteurs, aborder le rapide à l'endroit choisi, ni trop près de la paroi pour ne pas être écrasé contre les rochers, ni trop près de la rive gauche où un banc de galets présage des hauts-fonds, puis, quand tout est paré, tourner à fond la manette du moteur et l'emballer. Instant magnifique qui précède la charge... alors la barge fonce en rugissant, lutte contre le courant, évite des rochers qui affleurent, les vagues et les embruns nous mouillent, puis tout cesse, le P. Mary barre à droite et nous voguons en eaux tranquilles, laissant le grand courant déferler à notre gauche comme s'il était indépendant de la rivière.

En apparence, la montagne est homogène, nous sommes parvenus dans un cul-de-sac ! Une source vauclusienne ? Non, la falaise découvre enfin son secret : une mince entaille bordée par des plis rocheux verticaux. La pierre est beaucoup plus sombre que les calcaires rencontrés en aval, parfois noire comme basalte, sans que nous y retrouvions toutefois la pétrification classique en colonnes.

Nous sommes arrivés à la « Porte », « The Gate », à mi-chemin entre Hot Springs et les Virginia Falls.

C'est bien d'une porte qu'il s'agit !

Elle s'ouvre comme une écluse, sa largeur maximum ne doit pas dépasser quarante mètres, peut-être moins, et comme les parois qui la bordent sont dix fois plus hautes et surplombantes, l'impression de bout du monde est totale.

Nous faisons halte sur la rive gauche. Il y a là une sorte de petit lac de barrage où les eaux semblent calmes, ce que dément la vitesse du courant ; leur profondeur doit être grande. La rivière paraît hésiter puis s'engouffre dans le plan incliné du rapide comme dans un toboggan et disparaît en contrebas.

Sur le sable argileux de la rive un drame a dû se jouer il y a quelques instants ; on le lit dans les traces : un jeune élan, poursuivi par un loup, a galopé, cherchant le salut dans la fuite, un ours est venu boire, les traces se perdent dans la forêt, elles sont récentes, l'eau marque encore dans les empreintes leur moulage parfait.

« Dix minutes au moins ! une heure au plus ! » en déduit Gus.

C'est le drame de la vie qui se joue ainsi dans le mystère profond de ces gorges ; laissons le loup et l'élan, l'un dévorant l'autre, rétablir l'équilibre biologique de cette jungle. Admirons le site, poignant, dominé par le tumulte des rapides que renvoient en écho les parois rocheuses. Malgré cela il règne ici le calme étrange, inquiétant, des contrées sans hommes, troublé un instant par le bruit artificiel de nos moteurs et maintenant rendu à lui-même. Nous resterons en cet endroit plus de deux heures. Gus et le P. Mary se prêteront avec une patience infinie aux désirs de Pierre qui, grimpé sur une aiguille rocheuse surplombant la Porte, nous fait évoluer en barque dans l'étroit passage. C'est avec soulagement que nous sortirons de ce puits pour continuer notre remontée du Troisième cañon. Les rapides que nous venons de franchir en constituent en fait la seule difficulté ; ils sont, à mon avis, bien moins dangereux que ceux qui se forment à la sortie du Premier cañon vers l'amont, mais là encore tout est lié à l'imprévisible : la hauteur des eaux... peut-être en temps de crue ceux-là sont-ils redoutables ?

Le Troisième cañon est très beau. Sa rive gauche est bordée par d'énormes falaises constituées parfois de roches volcaniques ennoyautées dans les soulèvements sédimentaires. Gus y détecte, à la couleur des roches, ici un filon de cuivre, là du fer, qui ne seront jamais exploités. Les plissements y sont très fantaisistes, en casque, en berceau ; parfois la roche présente d'étranges alvéoles qu'on dirait creusés de main d'homme et qui ne sont en fait que le résultat de l'érosion éolienne, leur formation rappelle à s'y méprendre les roches du tassili saharien, certaines ressemblent à des têtes humaines, prennent l'aspect de chimères, des cavités noirâtres s'ouvrent comme des yeux d'aveugle sur le vide de la rivière.

231

Ce spectacle devait paraître bien effrayant aux audacieux prospecteurs du début du siècle parvenus jusqu'ici. On en mesure mieux la solidité de leur courage. S'aventurer de cañon en cañon sur cette rivière en furie, déboucher dans des vallées sans espoir, mieux encerclés par ces montagnes que par un mur de prison, quelle aventure à l'époque !

De ce Troisième cañon très court, on sort dans un éclatement de chaînons rocheux, de plus en plus boisés et éloignés.

« Deux moutons sauvages ! crie Gus. Là-haut, sur les vires. »

Il a des yeux extraordinaires, Gus ; il lit sans lunettes, il distingue un oiseau à mille mètres, c'est en vain que Pierre et moi nous cherchons à voir les bighorns, nous serons déjà bien loin lorsque nous découvrirons deux points blancs statiques, confondus avec les pierres blanches éboulées des parois.

« On aurait pu en tuer un pour dîner », dit le P. Mary.

Gus secoue la tête.

« Non ! la chasse n'est pas ouverte. »

Le P. Mary rengaine sa carabine, la tentation a été très forte.

Passé ce bouleversement géologique où s'affrontent les grès, les calcaires et les roches volcaniques, nous remontons maintenant une immense vallée à paysage découvert.

Jusqu'à l'entrée des Chutes il n'y aura plus de défilé, mais la navigation n'en devient pas plus facile, au contraire ! Le plus dur nous attend...

Toute cette partie est formée de terres sédimentaires argileuses mêlées à des intrusions volcaniques noirâtres, un peu partout se dressent des cheminées des fées taillées par l'érosion, des crêtes de moraines plantées au-dessus de la forêt primaire ici plus que jamais touffue et impénétrable. Une zone de flysch, diraient les géographes.

Sur sa rive droite, la Nahanni longe encore une haute falaise de roches noires mais les montagnes de la rive gauche se sont éloignées et découvrent une sorte de haut plateau bosselé, sans relief bien défini, uniformément boisé. Sur ce plateau la Nahanni a divagué largement, on retrouve les îles, les courants divergents, les bras morts, à travers lesquels il faut, pour naviguer, une véritable connaissance des lieux. Est-ce le soir tombant ? les lourdes nuées qui masquent le soleil et font courir les ombres sur la rivière ? Cette contrée recèle pour moi une grande mélancolie ; la violence des ors et des verts dans les cañons ou sur le parcours inférieur a disparu ; tout ce qui chantait au soleil et qui était vie a fait place à une sorte de grisaille uniforme d'où pointent les roches noires aux encorbellements funèbres ; la lumière ne s'attarde que sur les îles cernées par les rubans miroitants des eaux vives, recouvertes de magnifiques plantations de peupliers et de saules en bour-

geons vert tendre et le chant de la Nahanni
qui gronde lugubrement en se précipitant sur
les falaises prend dans ce paysage une tonalité
différente : on dirait un hymne en puissance,
un accord de notes cristallines, qui réchauffe
le cœur.

« Un ours ! » s'écrie Pierre, toujours aux
aguets.

Je le vois immédiatement à quelque deux
cents mètres de nous, traversant en bonds
énormes un bras de la Nahanni. L'endroit où
nous sommes est dangereux, les eaux sont
basses, le risque d'échouage permanent. Le
P. Mary réduit la vitesse des moteurs pour
tâcher de rester immobile dans le courant
tandis que Gus examine l'ours : il a de l'eau
jusqu'à l'échine, une belle échine argentée :

« *A big one !* dit Gus, un grizzly, un gros !

— On le poursuit ? » implore Pierre qui a
armé son appareil.

Gus secoue la tête.

« Non ! Pas assez d'eau ; si on s'engage dans
ce bras, on mettra des heures à s'en sortir...
d'ailleurs c'est trop tard, il a fui ! »

Gus réfléchit un instant, ajoute :

« Il devait être très gros, j'ai pu estimer
sa taille par rapport à la profondeur de l'eau,
un bel ours ! »

Les moteurs remis en marche, nous arrivons
bientôt à un endroit où deux bras de la rivière
se rejoignent ; faut-il remonter le bras droit
ou le bras gauche ? Les eaux venant de la

droite sont plus calmes et plus importantes, le bras gauche se déverse en un court rapide assez violent et, juste à la pointe de galets où se rejoignent les eaux, un magnifique élan se dresse, silhouetté à contre-jour.

« Celui-là, dit Pierre, je veux le mettre en boîte ! »

Le P. Mary dirige la barque vers la pointe de galets, Pierre saute dans l'eau, rampe le long de la berge et photographie à la hâte l'énorme animal qui s'enfuit lourdement vers la forêt de peupliers.

Il nous revient, un peu déçu :

« Je l'ai eu, mais à contre-jour...

— On en verra d'autres », dit le P. Mary.

A ma grande surprise nous avons remonté le petit bras qui me paraissait difficile. Mais Gus a bien choisi ; plus haut, la rivière est large et profonde, bordée d'arbres magnifiques, la rive gauche s'affaisse doucement par des moraines de sable plantées en épis au-dessus des arbres, des lagons discrets s'abritent derrière les haies de spruces ; à cet endroit le lit de la Nahanni s'étend certainement sur plus de deux miles de largeur, il couvre de son réseau tout le thalweg peu prononcé.

« *Mooses !* des élans ! »

Cette fois c'est Gus qui, le premier, a vu le couple d'orignaux qui prenaient le frais sur le bord de la rivière, nous sommes à l'heure favorable où les animaux viennent boire. Il y a sans doute le mâle et la femelle, leurs bois n'ont pas encore atteint leurs énormes dimensions de l'automne, les andouillers s'étalent en larges oreilles déchiquetées ; ils nous regardent approcher bêtement. Heureusement l'accostage est favorable et Pierre part à leur poursuite. A sa grande satisfaction il réussit cette fois à doubler et tripler ses clichés. Nous voyons avec surprise les élans gravir une falaise de sable morainique très escarpée avec une aisance déconcertante ; arrivés au sommet ils se retournent, nous observent une dernière fois, puis repartent au petit galop et disparaissent dans un grand fracas de branches brisées.

Après cet intermède nous reprenons le lit principal pour longer une haute paroi rocheuse, faite de roches noirâtres, pressées, brisées, sur lesquelles s'accrochent d'énormes troncs moussus. La falaise s'enfonce directement comme un mur concave sur lequel les eaux viennent se briser ; la rumeur augmente, annonçant de nouveaux rapides. Gus et le P. Mary, attentifs, étudient la situation, moteurs au ralenti, puis ils foncent.

« Tenez-vous bien ! conseille le P. Mary. Pierre, gare à tes appareils, ça va gicler ! »

Le rapide est très court, mais l'étroitesse du passage nous oblige à franchir deux remous transversaux qui masquent deux barres rocheuses cachées sous les eaux.

« Attention aux hélices ! » recommande Gus.

Ils se tiennent tous deux prêts à soulever

le hors-bord en cas d'accrochage, mais cela équivaudrait à partir au fil du courant.

Sur une centaine de mètres tout au plus, la barge à fond plat, soulevée par des vagues d'un mètre, a tenu bon, nous avions l'impression de gravir des degrés ! comme un gigantesque saumon remonte une échelle à poissons... puis l'avant s'est abaissé, le cours de la rivière est redevenu normal, c'est-à-dire vite et fluide mais les rapides étaient déjà derrière nous.

« Ce petit passage, personne n'y prête attention, dit Gus, moi je m'en méfie comme de la peste... Quand on sait ce que le lit de la rivière recèle comme écueils invisibles, il faut être prudent...

— Mais les autres, Gus ! Ceux qui n'avaient ni votre solide bateau ni de puissants moteurs, comment ont-ils fait ?

— Portage », répond-il laconiquement.

Tiens ! Gus une fois de plus abandonne le lit principal de la rivière qui s'étale devant nous, large et calme, sur plusieurs miles de distance, il préfère remonter sur notre droite un courant très rapide, barré de nombreux bancs de galets ou de sable, qui divisent les eaux, provoquent des remous, le tout parsemé de troncs d'arbres à la dérive ou fichés comme des pieux dans le sol inondé... Gus comprend mon étonnement :

« Là, devant, ce n'est pas la Nahanni ! Nous sommes au confluent de la Nahanni et de la

Flat River, une rivière plus importante qui, en ce moment, coule beaucoup plus d'eau que la Nahanni ; elle vient de l'Ouest, alors que la Nahanni descend du Nord-Ouest. »

Gus hoche la tête et reprend :

« Comme tout cela a changé en dix ans ! »

Car il y a dix ans qu'il n'est pas revenu en ce lieu.

Une heure plus tard nous atteignons un nouveau confluent, une rivière venue du Nord-Est pour se jeter dans la Nahanni ; elle n'est pas navigable, c'est un véritable torrent de montagne charriant des boules[1] et des eaux limoneuses.

Après avoir ramassé sur un banc de gravats deux nouveaux fûts d'essence vides, Gus réussit à introduire sa barque dans un de ces petits marigots vaseux qui ont été creusés par les hautes eaux dans les berges argileuses. Le courant borde les eaux calmes en formant une barre liquide difficile à franchir mais, une fois à l'intérieur, notre grande barge ressemble à une embarcation de pêcheur à la ligne, amarrée quelque part sur un ruisseau de France. Gus n'est pas pressé, il semble se complaire en ces lieux.

« On va faire du thé ! » dit-il.

Gus n'aime pas naviguer plus de deux heures

---

1. Blocs de rocher roulés et polis par les eaux des torrents glaciaires.

de suite. Au bout de ce temps il s'arrête, fait un grand feu, dispose sa bouilloire pleine de l'eau grise de la rivière et se taille d'immenses tartines beurrées recouvertes de confiture. Tandis que le P. Mary et Pierre entreposent les bidons vides en un lieu où nous pourrons les voir de loin à la descente, il se promène nonchalamment sur la petite île qui nous a accueillis, fouine dans tous les sens, et nous hèle d'un cri joyeux :

« Un bidon plein ! »

Il ne s'agit plus de cinq ou de dix dollars, mais d'essence d'hélicoptère ; un pétrolier a dû constituer là une réserve personnelle, ou, ce qui est plus vraisemblable, il s'est allégé au moment du départ. Quoi qu'il en soit Gus et le P. Mary en prennent possession avec satisfaction...

Gus est assis au coin du feu, dans sa position favorite, accroupi sur ses talons, à l'indienne. Il faut avoir pratiqué cette gymnastique toute une vie pour se reposer ainsi à son âge ! Il est heureux, loquace même :

« Vous connaissez bien le coin, Gus ?

— Mary et moi, nous avons construit une cabane à trente miles à l'ouest dans la Flat River ! J'y ai hiverné plusieurs fois, la dernière c'était il y a dix ans !

— Que cherchiez-vous ?

— L'or, le cuivre, les minéraux précieux comme le tungstène... ces roches en sont pleines.

— Et vous en avez trouvé ? »

Il branle la tête, ses yeux se referment, un court instant il brasse ses souvenirs sans répondre ; puis se décide :

« J'ai trouvé plusieurs claims importants, un filon exploitable par deux fois au moins, mais vous savez qu'une concession de recherches, un claim, est renouvelable chaque année auprès du gouvernement fédéral, cela coûte très cher... plusieurs centaines de dollars, et si on ne l'exploite pas, la concession tombe d'elle-même. Pour exploiter il aurait fallu trouver des capitaux, beaucoup de capitaux, et les sociétés minières ne sont pas folles, installer une mine en cette région posait trop de problèmes, à l'époque on connaissait à peine l'aviation, pas du tout l'hélicoptère, le seul moyen de transport vous le connaissez, la Nahanni n'est pas navigable, chaque fois qu'on la remonte on accomplit une prouesse, alors nous avons abandonné. *(Il soupire.)* C'est dommage, la Flat River c'est une belle vallée, très large, hospitalière, on pourrait y vivre ; Mary et moi nous avions construit une jolie cabane, je n'y suis plus retourné...

— Mais la rivière charrie de l'or ?

— Bien sûr. Chaque jour j'ai lavé les alluvions, je récoltais une once d'or, en moyenne... le salaire d'un travailleur spécialisé dans la plaine, ça ne valait pas la somme de peine et de souffrances que ça représentait.

— Comment viviez-vous ?

— Je suis venu jusqu'ici avec un simple moteur de 10 CV, mon premier kicker ! dit-il fièrement, mais on ne pouvait pas embarquer beaucoup de choses, de la farine, du sel... Mary chassait et moi je lavais l'or. Un chasseur extraordinaire, Mary, je ne connais aucune femme aussi précise dans son tir ; un grizzly à bout portant ne lui fait pas peur ni un loup gris affamé. Malgré cela, la chasse est précaire, et s'il n'y avait pas les élans qui donnent beaucoup de viande, on crèverait de faim... »

Son regard fait un tour d'horizon attentif.

« Je ne reconnais plus rien, je suis venu ici pour la première fois il y a vingt ans, tout ce delta de la Nahanni que vous voyez devant nous était recouvert d'une énorme forêt de spruces, les sapins avaient bien vingt à trente mètres de hauteur, ils couvraient tout. Il y a dix ans, quand je suis revenu, toute cette immense vallée n'était qu'un lit de graviers, aucune végétation, les eaux de la Nahanni avaient emporté arbre après arbre toute la forêt... et voilà qu'aujourd'hui tout est à nouveau verdoyant, mais les spruces ont été remplacés par les peupliers et les saules, qui n'existaient pas à l'époque. Quant au lit de la rivière, il est ici aujourd'hui, il peut passer là-bas demain. On s'y perd, et s'il n'y avait pas une sorte d'instinct pour vous faire choisir le bon courant, on se perdrait dans toutes ces rivières sans issue... »

A mon tour j'examine le vaste horizon circulaire, les montagnes boisées que le soir couvre d'encre, deux vallées ouvertes devant moi : l'une à l'ouest, la Flat River ; l'autre à l'est, la Wrigley Creek. Mais où donc se trouve la troisième vallée, celle de la Nahanni ? Elle a disparu magiquement, barrée par un épais contrefort rocheux. Je hasarde une question :

« C'est bien dans ces parages que Jurgenen a trouvé la mort en 1914 et Phil Power en 1933 ?

— Jurgenen avait sa cabane là-bas. *(Gus me désigne un éperon rocheux vers l'est.)* A l'époque la Nahanni coulait à son pied. Il a sans doute été assassiné car on a constaté, en examinant son cadavre, parmi les décombres brûlés de sa cabane, qu'il avait été tué par balle. Une rivalité de prospecteurs, peut-être avait-il trouvé de l'or, amassé un sac de poudre d'or ou de pépites... qui saura jamais la vérité ?...

— Et Phil Power ? Celui-là, sa mort est plus récente, 1933...

— Je pense qu'il a dû mourir de faim ou de maladie, c'est une fin naturelle en ces parages... Que peut faire un homme seul ?

— Vous avez bien tenu le coup, Gus ?

— Il y avait Mary, nous étions deux, n'oubliez pas qu'elle est indienne et qu'elle en sait plus long que moi sur la façon de vivre en forêt... Power venait des villes, quelle expérience pouvait-il avoir ?... Bon ! Maintenant on va tâcher d'arriver à « Hell's Gate » avant la nuit. »

Les « Portes de l'enfer » ! Enfin voilà prononcé le nom du passage le plus redouté de toute la Nahanni.

« A combien en sommes-nous, Gus ?

— Six miles environ. »

Plus haut, la Nahanni avait rassemblé ses eaux dans un lit étroit, sorte de petit cañon miniature, bordé de falaises escarpées d'une cinquantaine de mètres. Nous avancions lentement, dans le soleil couchant, dont les rayons nous frappaient en pleine figure, la navigation était rendue extrêmement pénible car le pilote, aveuglé, ne voyait devant lui qu'une éblouissante nappe d'argent en fusion, et au bout de quelques minutes il lui fallait fermer les yeux pour les reposer. Gus, Pierre, le P. Mary se signalaient mutuellement les obstacles : « Devant, une souche ! Barre à droite ! Attention ! un rocher ! » Tous trois avaient les yeux rouges de fatigue et de congestion, pourtant la barge remontait régulièrement le courant qui se faufilait entre les roches. Enfin, une montagne nous masqua le soleil et nous poussâmes un soupir de soulagement. L'ombre était fraîche, les eaux ne miroitaient plus, ce répit me permit de percevoir le grand bruit de la rivière, que j'avais oublié jusque-là. C'était un feulement de fauve en colère, qui semblait poursuivre le courant, et celui-ci fuyait, fuyait sous notre quille à nous donner le vertige.

Dans une petite « creek » abritée, en eaux tranquilles, nous échouâmes la barge sur un banc de sable et sautâmes à terre. Un loup et un ours s'étaient promenés ici même peu de temps avant notre arrivée, le bruit des moteurs les avait sans doute fait fuir juste à temps.

« Où sommes-nous, Gus ?

— Au portage d'« Hell's Gate », les rapides sont derrière cette falaise, à quelques centaines de mètres, écoutez ! »

On distinguait un sourd grondement, mais pour moi le mystère restait entier.

« Nous allons dormir ici, et ce soir nous irons reconnaître à pied le passage, nous aviserons de la meilleure façon de franchir les rapides.

— Sommes-nous loin des Chutes ?

— Une dizaine de miles, il y a même une piste qui permet de s'y rendre à pied, mais nous irons en bateau... »

Le matériel débarqué, je m'apprête à allumer un grand feu, lorsque Gus dit brusquement :

« Plus tard ! Allons voir la rivière... »

Ce qui le tourmente nous tourmente aussi.

Le crépuscule est interminable et je sais qu'il fera clair jusqu'à onze heures du soir, nous avons tout le temps.

Gus semble pris tout à coup d'une agitation fébrile ! Il fonce en avant, et nous avons peine à le suivre par une sorte de trace à peine marquée dans les fougères ou les rhododendrons nains — une espèce particulière, avec des fleurs beaucoup plus petites que celles du rhodo des Alpes — ; la forêt est silencieuse, on n'y perçoit même pas le bruit des rapides, et ce calme nous apaise après les journées tumultueuses que nous venons de vivre sur la rivière. On prend plaisir à marcher, et le sol spongieux où l'on enfonce dans la mousse jusqu'aux chevilles étouffe tous les bruits. La piste s'élève d'une cinquantaine de mètres, elle semble s'approcher de la rivière, dont le bruit monte graduellement, assourdi par les frondaisons, puis, franchie cette sorte de petite croupe, elle redescend et, brutalement, le scintillement des eaux réapparaît entre les arbres. Mes compagnons sont assis sur le rebord de l'à-pic, une falaise d'une trentaine de mètres de hauteur taillée à vif, au pied de laquelle la Nahanni se précipite sur les rochers avec de terrifiants coups de boutoir. La rive droite, par le caprice d'une faille, est ici perpendiculaire à la rive gauche ; la Nahanni, qui vient du Nord, heurte d'abord sur sa rive gauche la paroi rocheuse qui la rejette de plein fouet sur le mur vertical où nous nous trouvons, toute sa force est ainsi brisée dans des remous impressionnants ; les eaux s'échappent ensuite vers le bas non sans s'étaler sur la rive droite en une sorte de baie tranquille en apparence, mais où elles tournent sur elles-mêmes comme un maelström en miniature. Et c'est bien en effet d'un maelström qu'il s'agit ! Ce qui frappe de stupeur, c'est ce courant formidable qui semble canalisé entre des rives d'eaux tranquilles, et je comprends maintenant pourquoi Gus était soucieux, pourquoi il allait si vite, la concentration des eaux dans un étroit lit rocheux est si forte qu'on dirait une coulée de lave, en relief... C'est cela, un relief liquide !

Gus examine et médite. Le P. Mary réfléchit, Pierre se retourne vers moi, enthousiaste :

« Formidable ! Demain matin, je viens me poster ici, vous franchissez le défilé, au besoin on le refera plusieurs fois...

— Dis donc, Pierre, tu déménages ! s'exclame le P. Mary. Quand on l'aura passé une fois ça suffira, surtout qu'il y aura le retour. »

Pierre se tait ; il est têtu, et, quand il veut une chose, obstiné, mais je doute qu'il puisse imposer sa volonté. Le passage sera très délicat.

« N'est-ce pas ici que se sont noyés les trois Suisses en 1964 ?

— On le pense, car leur canoë métallique était enfoncé par l'avant jusqu'à la moitié. Ils ont dû venir buter de plein fouet sur la paroi, mais cela a pu aussi se produire sur les rapides à la sortie des chutes Virginia...

— Ah ! Il y a encore un autre rapide ?

— Oui, mais qui n'est rien en comparaison de celui-ci. »

Je songe au malheureux destin de Wolfgang Mahmcke, Fritz Weisman et Manfred Wutrich. Folie que de descendre ce passage sans l'avoir reconnu. Avec leur canoë léger, le portage eût été facile, surtout à trois...

« Mais, dis-je, les quatre Français ont réussi !

— Dieu était avec eux. »

En effet — j'ai lu leur récit —, ils s'étaient abandonnés au courant sur leurs dinghys circulaires en caoutchouc et avaient fermé hermétiquement les dômes de toile qui les recouvrent. Véritables toupies ils ont tournoyé dans le courant, rejetés plusieurs fois, aspirés, rejetés encore et se sont retrouvés sains et saufs en eaux plus calmes. Ils relatent tout cela avec une pointe d'humour qui n'en laisse pas moins percevoir leur frisson rétrospectif. Dans cette entreprise d'une témérité extraordinaire, la chance était avec eux... et leurs dinghys en caoutchouc à toute épreuve... Mais nous ne pouvons adopter leur technique, puisque nous remontons le courant ! Il faut d'abord passer, avec notre barge allégée au maximum, et pour cela bien examiner les remous. Gus et le P. Mary discutent de la tactique à adopter.

Il existe deux zones tourbillonnaires, en amont et en aval, qu'il faut éviter à tout prix. Le mieux sera de remonter la rivière en serrant la rive gauche, à ras de la falaise pour couper le courant en sa plus étroite largeur de toute la force des moteurs, ce qui nous rejettera sans doute dans la grande zone calme en dehors du tourbillon amont. Le tout est de savoir si le temps mis à franchir cette barre, qui soulève des vagues de plus d'un mètre, sera suffisamment court pour que nous ne soyons pas emportés latéralement jusqu'à la falaise aval, sur laquelle nous éclaterions comme une coquille de noix. Gus dit que c'est possible, le P. Mary, qui a toute confiance en ses moteurs, est persuasif :

« La largeur du courant, là où il forme barre, n'est que d'une vingtaine de mètres, sa vitesse approximative de vingt à vingt-cinq miles à l'heure ; entre trente-cinq et quarante kilomètres heure, dit-il à notre intention... Avec une puissance de 70 CV, et en lançant la barque à pleine vitesse, la dérive ne doit pas être importante. Entre la falaise amont et la falaise aval, il y a environ cinquante mètres, c'est peu, mais ça doit suffire... O.K. Gus ?

— O.K. si les eaux ne changent pas d'ici demain matin ! »

C'est cela le danger, demain il peut y avoir une différence de hauteur d'eau d'un mètre, en plus ou en moins.

« On vérifiera demain matin avant le départ. Allons dîner... »

Gus a pris sa décision, il est plus calme, nous le sommes tous, mais je ne me cache pas que je ne serai réellement tranquille que demain, lorsque nous aurons franchi les Portes de l'enfer.

Nous revenons en flânant par le sentier du portage, il suffit d'une vingtaine de minutes pour retrouver le campement. En cours de route, Gus déterre précieusement un plant de sabot de Vénus, qu'il veut repiquer dans son jardin de Hot Springs. Ce grand aventurier a des douceurs de vivre étonnantes, une fleur, un bourgeon l'attendrissent, tandis que la vue d'un loup, la capture d'un castor, le laissent indifférent...

« Je n'avais jamais vu de fleurs semblables, dit-il ; Mary sera contente. »

Il enveloppe la motte de terre et la fleur dans son mouchoir, il ne pense plus au lendemain, il est heureux.

Humide et froid, mais surtout perturbé par un essaim de moustiques qui dansaient autour de la flamme, ce fut pourtant un excellent bivouac.

Nous allumons un très grand feu et je prépare le dîner du soir.

« Si on se faisait une truite ? » dit le P. Mary.

Gus bondit :

« Vous allez voir ! Les remous au-delà du portage recèlent des truites énormes.

— Nous n'avons pas de ligne... »

Il me regarde avec commisération, sort une ficelle de sa poche, y attache un morceau de viande séchée gros comme le poing...

« Avec ça, on prend tout ce qu'on veut ! »

A la grosseur de l'appât je mesure la grosseur du gibier. Tous trois repartent et s'évanouissent dans la forêt. Peu certain de la réussite de leur pêche, je mijote un plat de riz, j'ouvre des boîtes, je prépare le thé, moi aussi je suis heureux. L'aventure si simple que nous vivons est tellement en dehors du commun ! J'ai bivouaqué bien des fois au cours de ma vie, en plein Sahara, dans les neiges, au mont Blanc, sur les banquises du Pôle, mais ce soir une exaltation profonde s'ajoute à ma rêverie, car nous sommes arrivés à la porte du danger, nous n'avons plus qu'une nuit d'attente avant de l'affronter.

Hell's Gate ! La Porte de l'enfer est devenue la porte de la nuit. Les braises se consument, la forêt est silencieuse, mais dans l'ouverture de la rivière le chant hurleur persiste. Très tard mes compagnons reviennent, bredouilles. Je les taquine :

« C'était trop tard, les truites dorment...

— Ou bien elles n'ont pas faim.

— Allons, j'ai fait du riz, de la soupe, et en fait de truites vous mangerez des sardines. »

La gaieté revient, et nous recommençons à discuter du franchissement des rapides, chacun apportant ses propres arguments jusqu'à ce qu'enfin nous tombions d'accord sur la meilleure tactique à adopter. Gus écarte les moustiques d'un geste inlassable. Moi je me suis enduit par précaution les mains et le visage d'une huile spéciale et, bientôt, je m'endors sous la voûte sombre de la forêt, bercé par la conversation du missionnaire et du trappeur qui se poursuit, indistincte comme dans un rêve...

IV

TRAVERSEE DE LA PORTE DE L'ENFER
LES CHUTES VIRGINIA

Au matin Gus est allé reconnaître la hauteur
des eaux, le niveau n'a pas varié durant la
nuit, nos prévisions sont donc valables. En
ce qui concerne les photos, le P. Mary a fait
comprendre à Pierre qu'on ne recommencera
pas deux fois l'expérience. Celui-ci va donc
se poster sur la falaise, face au grand rapide,
il nous verra venir de loin et nous lui ferons
signe au moment de lancer les moteurs. Il
s'éloigne, lourdement chargé, par le sentier
du portage, nous laissons passer le temps
nécessaire pour qu'il puisse gagner son poste.
La barque est prête ; ce matin même le père
a encore vérifié ses moteurs, démonté et
nettoyé les bougies, ça doit tourner rond !
Nous avons laissé à la dernière halte une
réserve de carburant, et comme nous en avons
consommé beaucoup durant la montée des
cañons, la barge se trouve allégée, donc plus
maniable.

C'est le cœur un peu serré que je m'accroupis à l'avant après avoir vérifié que tout ce qui craignait était à l'abri des vagues ; sous le ciel couvert de lourds cumulus d'orages, d'un noir d'encre, les forêts sont sinistres, mais les eaux grises reflètent la lumière en mille paillettes d'argent qu'emporte le courant.

Nous remontons la rivière au ralenti, avec juste la force nécessaire pour atteindre le point fixé d'où nous bondirons dans la Porte de l'enfer. C'est un défilé entre deux courtes falaises verticales d'une trentaine de mètres. Devant nous, une barre écumante traverse perpendiculairement la rivière, formant de hautes vagues tourbillonnantes.

Debout sur un roc, juste au-dessus de l'endroit critique, Pierre nous fait signe ; allons-y ! Gus et le P. Mary actionnent les poignées des moteurs qui ronflent de toute leur puissance. Nous longeons la rive gauche comme prévu, presque au ras des rochers, la barge file, poussée par 70 CV, et d'un seul coup nous voilà pris dans le courant principal, chahutés, aspergés ; cela ne dure que quelques secondes, nous sommes déjà passés, nous dérivons latéralement à grande vitesse sur la falaise de la rive droite... non ! nous arrivons en eaux calmes... calmes... ! Quelle erreur ! Notre lourde embarcation longue de dix mètres se met à toupiller. Gus lance un avertissement :

« Tout droit ! Père Mary, coupez les moteurs ! *(Puis à moi :)* Prenez la corde et sautez ! » Je bondis, la corde à la main.

Sur notre lancée nous venons nous échouer sur la rive opposée au-delà des tourbillons, mais je comprends vite l'inquiétude de Gus : la barge reprise en cet endroit par le contre-courant serait inévitablement rejetée dans les remous si je ne la maintenais à grand-peine, résistant de toutes mes forces, corde tendue, à la violence des eaux. Le P. Mary saute à terre, me rejoint, m'aide ; nous fixons la corde à une souche, la barge est maintenue contre la rive. Gus descend et sourit.

« Ça s'est bien passé ! dit-il. Maintenant on va voir la suite. »

Pierre nous a rejoints. Gus et le P. Mary vont à pied reconnaître le passage suivant jusqu'à la grande courbe qui marque le sommet des rapides. Ils reviennent peu satisfaits de leur examen : les eaux sont trop basses, on ne peut remonter qu'en empruntant le courant, cette coulée de lave d'une violence inouïe. Ils doutent fort que nous puissions réussir car c'est à cet endroit que la Nahanni acquiert sa plus grande rapidité.

« Tirons la barque. A nous quatre ça doit marcher. »

En avant pour le halage. La solide corde de nylon, d'une douzaine de millimètres de diamètre, se tend sous l'effort. Gus est resté à bord, il a remonté les kickers afin de préserver les hélices, car nous devons haler sur un haut-fond et à diverses reprises la barge s'échoue, il faut alors de gros efforts pour la remettre à flot ; ces cinq cents mètres nous prennent énormément de temps, surtout pour doubler la pointe de galets et d'alluvions qui marque la fin de la grande courbe supérieure. Au-delà, la rivière, encore très vive, s'apaise un peu. Gus sonde avec sa perche graduée :

« Ça devrait passer. »

Le départ est délicat. Pierre reste sur la grève jusqu'au dernier moment, le P. Mary met en route les deux moteurs, Gus et moi repoussons l'embarcation à l'aide de deux perches, Pierre tient toujours la corde d'amarrage pour parer à l'imprévu, le P. Mary a réussi à diriger le nez de l'embarcation vers l'amont.

« Saute ! » dit-il.

Pierre bondit, repousse d'un coup de pied la barque, qui est saisie par le courant et commence à dériver, mais les deux moteurs lancés à pleine puissance, l'équilibre entre la vitesse des flots et celle de la barque s'établit, nous progressons lentement, puis plus vite, et enfin nous voguons normalement sur des eaux agitées mais plus sûres.

« Un sale passage ! reconnaît le P. Mary.

— Je me demande s'il n'aurait pas été plus facile avec des eaux plus hautes ?... Le chenal navigable est vraiment trop étroit pour manœuvrer ! » observe Gus.

Nous ne sommes plus qu'à huit miles des Chutes, nous mettrons plus de quatre heures pour y parvenir !

La tension des nerfs a été très dure, mais maintenant que tout est terminé, ce dernier effort nous apparaît comme un rêve. Il a duré quelques secondes que nous avons vécues intensément.

Comme c'était facile ! suis-je tenté de penser.

Ce serait oublier la minutieuse préparation qui a permis ce véritable assaut ; les heures d'observation passées par Gus et le P. Mary à supputer la violence du courant, à étudier les zones tourbillonnaires ; pour celui qui ne sait pas, tout est facile, mais quand on a senti la force presque surnaturelle qui emportait la barque à la dérive on se dit que Rochat et ses compagnons étaient bien audacieux, on comprend pourquoi tant de drames, connus ou ignorés, se sont joués en ce lieu.

La difficulté, maintenant, sera de trouver des chenaux assez profonds pour continuer. La Nahanni roule ici moitié moins d'eau qu'elle n'en a après son confluent avec la Flat River ; en outre une zone plate la fait s'épancher trop largement, elle enserre une grande île que nous doublons par la rive gauche, avançant péniblement, à la vitesse d'un mile à l'heure ! Gus sonde à l'arrière, moi à l'avant ; à diverses reprises la barge talonne ! Alors il faut réagir très vite, soulever hors de l'eau l'arbre d'hélice, se laisser dériver, remettre le moteur à l'eau, chercher ailleurs, c'est interminable. On dirait que les Chutes se refusent à nous. D'ailleurs, où sont-elles ces extraordinaires « Virginia Falls » ? La plus haute cataracte de l'Amérique du Nord, presque trois fois la hauteur des chutes du Niagara ! Aucun bruit, aucun nuage de vapeur ne laissent présager que nous en approchons ; nous sommes engagés maintenant dans le dernier cañon, le Quatrième, celui dont on ne parle pas, et qui reste l'un des plus beaux ; la rivière y décrit de larges courbes, sa rive gauche très escarpée se continue par des forêts qui couvrent la montagne. C'est le massif de la « Sunblood Mountain », le « sang du soleil » culminant à plus de deux mille mètres. Peut-être l'a-t-on nommé ainsi parce que l'on arrive généralement en vue de ce paysage le soir, au soleil couchant, quand le sommet débonnaire se colore de la pourpre violente des derniers rayons obliques venus de l'Ouest ? Nous n'avons pas pu jouir de ce spectacle hier soir, le ciel était couvert, comme aujourd'hui d'ailleurs, où les orages passent sans nous atteindre en galopant dans l'azur, cavales noires et grises aux queues échevelées portées par les vents.

La roche est sombre, avec des coulées jaunes et rouges, qui trahissent différents plissements broyés, écrasés, soulevés, ennoyautés de roches éruptives, à tel point qu'un géologue aurait du mal à s'y reconnaître.

Gus, lui, ne s'y trompe pas. Maintenant que tout danger immédiat est passé il laisse piloter le P. Mary, et tout rejoint dans son esprit sa passion pour la prospection.

« Là il y a du cuivre, ici du fer. » Il dit cela comme un leit-motiv !

« Et de l'or ?...

— Il y en a partout !... mais comment l'exploiter ? »

Notre navigation au ralenti nous engage dans un étroit et profond défilé. Devant nous — grâce à l'expérience acquise je n'ai plus besoin d'interroger mes compagnons —, devant nous un rapide se prépare ! Je sais maintenant que le scintillement d'argent que j'aperçois est synonyme de remous dangereux, que cette courte vague qui se brise déferle pardessus une barre rocheuse.

« *Be careful, Father* ! dit Gus. Prenez garde ! »

Il faut raser la rive gauche, mais les moteurs lancés à grande puissance arrivent tout juste à nous faire avancer très lentement, la barque est difficile à gouverner, on talonne, une fois, deux fois, sans dommage, puis tout à coup plus fortement.

« Echouons-nous sur la grève ! » commande Gus.

Bien entraînés désormais, nous sautons, Pierre et moi, sur les galets, nous saisissons la corde pour immobiliser la barque, le P. Mary soulève l'arbre d'hélice d'un moteur, puis de l'autre ; une hélice est faussée, un morceau de pale cassé.

« Ça n'a pas d'importance, affirme-t-il. Nous sommes arrivés, les « Falls » sont juste derrière ce tournant, encore masqués par la paroi du cañon. »

Nous décidons de haler la barge de nouveau. C'est un travail de forçat, il faut tirer sur la corde, la plupart du temps dans l'eau jusqu'aux mollets, en donnant suffisamment de longueur pour que l'embarcation puisse flotter au large. Malgré ces précautions elle s'échoue plusieurs fois, et la remettre à flot n'est pas une petite affaire. Dieu qu'elle est lourde !

Nous jouons les bateliers de la Volga sur quelques centaines de mètres, puis Gus déclare qu'on peut se rembarquer. La rivière est un peu apaisée et la sonde révèle des eaux profondes. Au moment même où le cañon s'évase en une sorte de cirque majestueux, nous découvrons les Chutes et entendons leur puissant tumulte.

Impressionnant ? A vrai dire ces Chutes sont à l'échelle des montagnes ! Aucun repère de grandeur ne s'offre au spectateur à part les sapins minuscules plantés au sommet des falaises d'où elles se précipitent. Les chutes du Niagara paraissent énormes parce qu'elles tombent d'une plaine à l'autre, dans un pays sans relief, mais combien de cascades sont plus hautes dans le monde ! Ici, leur gigantisme, c'est celui du fleuve qui s'y précipite. Le volume des eaux de la Nahanni, plus important que celui de maintes chutes réputées, ne saurait toutefois se comparer à celui du Niagara. Tout est fonction du site ! Placez l'Arc de Triomphe au milieu des Aiguilles de Chamonix, il ne sera plus là-haut qu'un bloc de pierre comme un autre, un simple « gendarme », diraient les alpinistes. Quand on découvre les Virginia Falls, on les croit toutes proches alors qu'on en est distant encore de plus de deux kilomètres ! Le tumulte grandit progressivement à mesure qu'on s'approche, mais l'encaissement du cañon assourdit le bruit et on finit par l'oublier comme les Parisiens oublient le bruit de la circulation.

Les Chutes tombent dans un cirque assez vaste, un hémicycle bordé de tous côtés par des falaises élevées et déchiquetées, surtout sur la rive gauche ; à un kilomètre du pied de la cascade nous abordons une large plage faite de galets plus ou moins roulés, parsemée de bois flottés venus échouer là par troncs entiers ; cette grève se continue par une raide pente forestière, striée de couloirs rocheux ; c'est là que nous allons amarrer la barge au terme de notre voyage. La Nahanni encore toute bouleversée et frémissante s'y reforme en une rivière torrentielle, très rapide, qui s'engouffre plus bas dans le Quatrième cañon.

Les Chutes sont coupées en leur milieu par une grande aiguille rocheuse d'une centaine de mètres de hauteur, qui retient encore les dernières glaces de la saison ; le bouillonne-ment d'écume de la base s'élève en un nuage irisé à une vingtaine de mètres de hauteur. Elles paraissent plus larges que hautes, un peu écrasées par l'imposante montagne qui les domine.

La matinée a été très pénible, le halage de l'embarcation nous a épuisés et nous nous accordons une halte avant d'entreprendre une reconnaissance.

Curieux de nature, Pierre interroge Gus :

« Pourquoi ce nom, pourquoi Virginia Falls ? »

Cette Virginie inconnue, est-ce une princesse royale ? Une star de cinéma ? La femme d'un explorateur ? Non, c'est beaucoup plus simple : les Chutes portent le nom de la fille du topographe du gouvernement canadien qui les a « officiellement » découvertes.

La cartographie de ces régions est très récente. Inexistante il y a seulement quelques années, elle a été faite entièrement par avion, et, la plupart du temps, les ingénieurs du Service des Mines qui ont réalisé les cartes actuelles ne se sont pas posé de problèmes pour baptiser les pays survolés. C'est ainsi qu'on trouve sur la carte de la Nahanni et de ses affluents une « Mary River », est-ce en l'honneur de la femme de Gus Kraus ? ; une « Vera Creek », hommage incontestablement rendu à l'épouse de Dick Turner. On a fait plaisir à ceux chez qui on a reçu l'hospitalité fraternelle du Grand Nord. Ou alors on a conservé les noms donnés par les pionniers, ou ceux qui rappelaient la conquête : « Deadmen Valley », « Wrigley River », « Funeral Range », etc.

Pierre, impatient, a écourté le repas et chargé le sac.

Gus, lui, nous attendra ici. Les Chutes il les connaît par cœur ! Il ne prétexte même pas la fatigue ! Non, à son âge il pourrait nous en remontrer encore ! Je devine qu'il veut rester seul avec ses souvenirs comme si la nappe d'eau éternelle, qui se brise avec fracas et bouche devant nous l'horizon du nord, égrenait irrémédiablement toutes les heures de sa vie aventureuse.

« O.K. Gus, dit le P. Mary, on part tous les trois. »

Le missionnaire et Pierre ont pris les devants, ils ont déjà disparu dans un grand couloir, mais je n'ai aucune peine à suivre leurs traces, un écriteau signale en effet « portage ». Il y a même des degrés en rondins espacés comme des marches d'escalier ; j'apprendrai plus tard que ce chemin est l'œuvre de l'Armée canadienne, venue jusqu'ici en 1964 ou 1965, et qui a tenté d'aménager le portage pour hisser une embarcation au sommet des Chutes ! Leur remontée et leur descente de la Nahanni ne s'étaient pas faites sans incidents, ils avaient perdu une embarcation dans les rapides après les Chutes ! Et

Gus avait appris la nouvelle en recueillant les épaves du naufrage à Hot Springs ! Mais cette fois il n'y avait pas eu de perte de vie humaine.

L'escalier de rondins grimpe à travers la forêt, puis cesse ; un dernier névé emplit le thalweg, au-delà duquel je retrouve la trace du sentier. Il est bien entretenu par le passage des bêtes sauvages qui l'ont adopté sans vergogne, loups et ours y passent journellement ainsi qu'en témoignent leurs empreintes dans le sol argileux et les nombreux excréments, frais ou anciens, qui jalonnent le parcours. Cette forêt est peuplée d'épicéas, le spruce canadien pousse partout, en fûts bien droits, issus du tapis spongieux du « muskeg ». Dans cette mousse le pied se repose agréablement, l'avance est facile. C'est une forêt alpine, sans sous-bois broussailleux ; tout le maquis qui rendait impénétrable la grande forêt de la plaine a disparu. Ici l'homme peut marcher partout à sa guise, il n'a plus besoin de la rivière. Nous grimpons donc dans le silence retrouvé — rien ne permet de déceler la présence toute proche des cataractes — sur plus de cent cinquante mètres de dénivellation, pour redescendre ensuite un léger versant qui amène directement sur le plan d'eau supérieur de la Nahanni.

Quel contraste ! Nous sommes enfin sortis des gorges étouffantes où nous vivions jusqu'alors. Devant nous un haut plateau bosselé recouvert de forêts s'allonge vers le nord, l'horizon paraît sans limite. C'est le pays interdit d'où descend la Nahanni. Son immense vallée est bosselée par des sommets encore enneigés. La rivière elle-même s'étale en un large plan d'eau calme comme un lac jurassien. Un marécage me sépare de sa rive, plein de trous d'eau dans lesquels on enfonce jusqu'aux genoux.

Mes compagnons sont là qui admirent en silence, presque avec respect. Comme moi, ils ont l'impression d'être arrivés au bout du voyage. Nous savons que ce plan d'eau calme se termine à vingt miles en amont, et qu'alors la Nahanni n'est plus navigable, trop peu de fond, trop de rochers dans le courant, trop d'épaves et de troncs d'arbres accrochés à ces rochers. Et pourtant nous avons remonté à peine la moitié du cours de la rivière qui prend sa source à 150 miles en amont, dans les neiges du mont Christie. Si les eaux sont basses c'est que là-haut, presque à la limite du cercle polaire, il doit encore faire très froid en altitude. La fonte n'est pas commencée, elle n'aura lieu qu'en juillet et en août, époque où la Nahanni charrie ses plus grosses eaux.

Ainsi c'est à travers ce pays inconnu que se sont lancés les quatre hardis Français ! Descendus du ciel sur la montagne, roulant et cahotant sur la crête des rapides, séparés en deux groupes dès le départ, ils n'ont pu

264

se retrouver et se joindre qu'à l'endroit où nous sommes. Ils sont arrivés en ce lieu mourants de faim, à bout de forces et de ressources, comme par miracle le jour où un hydravion s'y était posé ; des gens qui étaient venus « admirer les Falls » ! Une jeune femme trouva vraiment *exciting* cette rencontre avec ces hommes maigres et barbus, mais elle ne s'aperçut même pas qu'ils mouraient de faim. Comment imaginer qu'un homme puisse connaître la faim en ces parages quand, à bord d'un hydravion moderne, on dispose de tant de choses ! Pour arriver jusqu'ici les Français avaient lutté seize jours durant contre l'inconnu de la rivière ! L'amazone du ciel s'y était posée après deux heures de vol !

Ceux qui n'ont pas navigué sur la Nahanni ne peuvent en parler.

Sa vallée certes est maintenant bien reconnue ; je suis persuadé qu'un peu partout l'hélicoptère ou l'hydravion ont déposé leur petite équipe de prospecteurs la plupart du temps repartis sans laisser d'adresse. Mais connaissent-ils le pays ! Je dis non, très fermement, sans ambages. C'est un peu comme celui qui voudrait parler du Sahara sans l'avoir traversé à dos de chameau, ou qui croirait avoir gravi le mont Blanc parce qu'il s'y est fait déposer en hélicoptère !

Les Français trouvèrent en arrivant au pied des Chutes un vieillard solitaire qui campait paisiblement près de son embarcation. C'était

Albert Feyler, Suisse d'origine, maintenant retiré à Fort Simpson dans une pauvreté compensée par la richesse des souvenirs accumulés tout au long de sa vie de chercheur d'or.

Nous n'avons pas rencontré cette figure de légende qu'on nomme là-bas « l'homme de la Nahanni ». Sachant que beaucoup de ses prédécesseurs s'étaient perdus ou étaient morts de faim en amont des Chutes, il avait cependant remonté la rivière durant quarante années. C'est Feyler qui le premier a construit pièce par pièce pour explorer la haute Nahanni une sorte de barge légère, véritable radeau, avec des plats-bords de vingt centimètres. Son chantier était à l'endroit où nous sommes. Le portage d'une telle embarcation au-dessus des Chutes eût nécessité une forte équipe, comme celle de la patrouille canadienne. Albert Feyler a construit sur place son bateau, il a vécu ici pendant des mois du produit de la chasse, insensible aux moustiques, se laissant cerner par le froid, ne revenant qu'aux annonces de l'embâcle ; on savait par lui que la Nahanni cessait d'être navigable vingt miles en amont des Chutes. S'il l'avait dit ce devait être vrai. Il était le seul à être revenu pour le dire.

Son embarcation est devant nous ! Il avait creusé un canal pour la tirer à l'abri des crues à quelque trente mètres à l'intérieur du marécage ; elle pourrit lentement, pleine d'eau, et malgré sa fragilité apparente, on constate qu'elle a été judicieusement construite pour explorer la rivière. Son tirant d'eau est insignifiant : un radeau à l'avant relevé en forme de barge, c'est tout ! Il fallait du courage pour s'aventurer là-dessus !

A côté, une embarcation plus conséquente pourrit, elle aussi, au bord de ces eaux sans espoir ! On comprend, à la vue de ce chantier naval abandonné, que bien des espérances se sont éteintes en cet endroit bucolique.

Ceux qui sont morts plus bas, en aval des Chutes, on sait ou on devine leur fin ! Mais les autres ? Les chercheurs d'or en quête de l'Eldorado, qui ont continué, à pied, lourdement chargés, où dorment-ils de leur mort épouvantable ?

Ici, chacun a voulu laisser trace de son passage. Les arbres portent des graffiti, des dates, les militaires s'en sont donné à cœur joie ! Un peu au-dessus de l'embarcadère, le campement des Français est presque intact, l'un d'eux s'était fabriqué une sorte de couchette sur pilotis pour s'isoler de l'humidité du sol avec, au-dessus, l'armature pour la moustiquaire. Leur rêve les avait soutenus jusqu'en ce lieu, mais ils savaient peu de choses des embûches des cañons qu'ils allaient affronter. Le fait que ceux-ci aient été remontés à bord de lourdes embarcations dut leur donner assez de confiance pour se balancer dans la Porte de l'enfer, sans en mesurer la difficulté !

« Tu viens ! »

Pierre interrompt ma méditation. Il est venu pour photographier, n'est-ce pas ?

Nous partons à sa suite et rapidement nous dominons le sommet des rapides, là où les eaux de la Nahanni se précipitent avec une violence démentielle, sur un plan rocheux incliné qui prélude aux Chutes verticales. Le spectacle de cette fuite vertigineuse est peut-être plus impressionnant que la Chute elle-même. Ces quatre Français ! Si le courant avait emporté leurs dinghys ?... A l'amont aucun bruit ne vient signaler les Chutes et c'est avec une brusquerie sans égale que les eaux se précipitent sur les dalles inclinées, explosant avec un bruit infernal, formant de véritables geysers pour disparaître dans un grondement sourd de tremblement de terre.

Du départ du rapide au bas des Chutes il y a exactement cent vingts mètres de dénivellation, mais la Chute proprement dite, verticale, ne doit guère avoir plus de cent mètres. Il y a d'ailleurs deux Chutes séparées par la grande aiguille rocheuse. Le gros du courant s'échappe par la droite, la Chute de gauche est une succession de cascades, décrivant un arc de cercle autour de l'aiguille de roc. En ce moment les eaux sont basses. Gus nous a confirmé n'avoir jamais vu pointer un certain rocher noirâtre qui sépare en deux le rideau liquide de la Chute principale.

Notre randonnée photographique va nous faire parcourir toute la lisière supérieure de la falaise rive droite. Jusqu'à l'aplomb des Chutes, nous dominons d'une cinquantaine de mètres le rapide supérieur d'une beauté violente et sauvage. Pierre descend jusqu'au niveau des eaux par des escarpements sans grande difficulté. Nous sommes fascinés surtout par le spectacle des eaux des petites Chutes, celles de la rive gauche, qui empruntent une dalle de rocher incliné à quarante-cinq degrés, véritable glissoire où leur vitesse atteint le maximum. Elles se brisent cinquante mètres plus bas sur un promontoire rocheux, puis s'échappent par la gauche pour tomber verticalement jusqu'au niveau inférieur. Cette rive gauche est frangée d'une forêt tourmentée, dangereusement inclinée sur le vide, qui monte de ce point à l'assaut de la « Sunblood Mountain ». Le paysage est lugubre : vert foncé des sapins, ravins de schistes noirs, grisaille des sommets dénudés, à peine éclairés par la lueur pâle des névés. Un orage menace depuis le matin, il se déplace lentement vers l'est, en épargnant les Chutes, mais ses énormes cumulus gorgés d'encre semblent prêts à s'ouvrir à chaque instant. C'est un paysage de Genèse.

Le panorama change à chaque pas, tandis que nous suivons exactement le bord festonné de la falaise, tranchée en divers endroits par des gorges profondes que nous contournons par la forêt. Des échines boisées nous permettent de rejoindre chaque fois le balcon vertigineux qui, finalement, domine de plein fouet les Chutes principales.

Un grondement sourd et régulier monte de l'abîme avec un nuage de vapeur d'eau irisé, dans lequel joue un arc-en-ciel. On ne se lasserait pas de regarder. Pierre, insatiable comme un chasseur sur la piste, nous conduit plusieurs heures durant de promontoire en promontoire. Il descend, au mépris de toute prudence, dans la falaise même par des cheminées en mauvais rocher, plante sa caméra sur une vire étroite, oublie le temps, nous oublie aussi.

Le P. Mary et moi portons ses appareils, et tandis qu'il opère, nous nous étendons dans la mousse, face au ciel, écoutant avec une intense émotion le chant des eaux sur les marches démesurées de la rivière.

Ici, les Chutes sont étroitement encadrées par les à-pics d'une gorge étroite, sur laquelle s'accrochent de romantiques sapins. Comme on n'en distingue pas le fond, elles acquièrent une hauteur sensationnelle ; cent mètres plus loin, vues sous un autre angle, elles s'étaleront sur toute la largeur du cirque, gigantesque déversoir qui alimente le cours inférieur de la Nahanni. La rivière est très large dans le fond du cirque qui va en se resserrant jusqu'à l'entrée du Quatrième cañon. On aperçoit la barque de Gus, minuscule, amarrée à un bois flotté, mais lui-même est invisible ; sans doute s'est-il acagnardé entre deux cailloux.

De gorge en gorge, de falaise en falaise, nous avons largement dépassé les Chutes vers l'aval, et de la crête où nous nous trouvons, nous estimons être à l'aplomb de l'escalier du portage. Nous le rejoindrons par un très raide couloir forestier, juste à la hauteur du grand névé. Pierre et le P. Mary l'ont dévalé à toute allure. J'ai voulu faire comme eux, mon pied a glissé, j'ai ressenti une grande douleur fulgurante comme un éclair. Ça y est ! J'ai de nouveau tiré sur ce sacré tendon d'Achille et je boite bas.

Pierre et le P. Mary n'ont pas perdu leur temps à m'attendre. Arrivés au bord de la rivière, ils ont remonté le long de sa rive droite, sur la plage de galets abandonnés par les crues. Ils se sont rapprochés des Chutes. Pierre voudrait en donner l'échelle, mais c'est presque chose impossible, au plus près on en est à cent mètres ! Aller plus loin ne signifierait rien. Le cliché fait nous revenons à la barque où Gus nous attend patiemment. Repris par sa passion de prospecteur, il a récolté en notre absence pas mal de cailloux. Je sais maintenant pourquoi il ne nous a pas accompagnés ; il a passé son temps à fouiller la grève ; dans les pierres calcaires il a trouvé des fossiles, un poisson, des ammonites, d'autres variétés de coquillages, puis des fragments brisés de minerais de cuivre, de fer..., c'est son trésor !

L'orage qui menaçait envahit maintenant tout le ciel. Au loin des coups de tonnerre éclatent, assez violents pour couvrir le bruit des Chutes. Il serait temps de partir ! Gus redoute une crue subite de la rivière. Mais Pierre n'est jamais satisfait de son travail.

« Gus, pouvez-vous me faire traverser la rivière ? J'ai idée que les Chutes vues de la rive gauche sont plus intéressantes.

— C'est facile, d'ailleurs on ne les a jamais photographiées de là-bas, tout le monde s'arrête à l'entrée du portage ! »

Déhaler la barque, mettre en route les kickers, se laisser déporter par le courant, puis le remonter à l'aide des moteurs, sont des manœuvres que nous connaissons bien. Après avoir touché le fond plusieurs fois, nous nous amarrons rive gauche. Une grève étroite sépare la rivière de la forêt qui s'accroche immédiatement aux pentes rocheuses.

Le rivage est bordé de gros blocs dont les angles vifs n'ont pas été polis par les eaux. Pierre s'éloigne, sac au dos ; d'ici au pied des Chutes il doit y avoir un bon kilomètre. Le P. Mary, resté dans la barque, met ce répit à profit pour nettoyer à fond ses bougies pour la descente. Gus, marteau de minéralogiste à la main, casse des cailloux et m'apprend à reconnaître les roches qui peuvent dissimuler des fossiles. Il prend une pierre, la brise en deux feuillets d'un coup sec, appliqué au bon endroit, me montre triomphant l'empreinte d'une fougère, tranchée en sa mince épaisseur comme avec une lame de rasoir...

Pierre nous a dit :

« J'en ai pour une heure ! »

Il est parti depuis plus de deux heures et toujours rien en vue !

« J'y vais », dis-je à Gus.

Je m'épargnerais bien cette marche pénible pour ma cheville sur les éboulis coupants, mais l'absence de Pierre m'inquiète, il devrait être rentré depuis longtemps ! J'atteins à mon tour le fond du cañon, les Chutes sont devant moi, je n'en suis séparé que par un amoncellement de bois flottés, de troncs enchevêtrés formant barrage. De ce point on aperçoit l'envers du décor, le virage infernal pris par les eaux de la chute de gauche, autour de l'aiguille de roc, ce petit « gendarme » qui, rendu à ses dimensions naturelles, apparaît énorme.

Pierre est invisible. Aurait-il commis l'imprudence de s'approcher trop près ? C'est vite fait un faux pas sur une dalle humide d'embruns ! J'essaie d'appeler. Dérisoire ! Que peut ma voix contre celle de la rivière ? Où a-t-il pu passer ? De la falaise aux rochers pourris, brisés, détruits par le gel de l'hiver et le dégel du printemps, à tout instant des pierres se détachent et viennent rouler jusqu'à

273

moi. La paroi mesure environ deux cents mètres de hauteur, elle est striée de couloirs étroits, dont le fond est garni de terre et de mousse. Pierre aurait-il gagné le sommet ? Dans ce cas, il a pu revenir directement vers nous par le haut.

Je fais demi-tour. Gus, qui m'a vu boiter bas, vient à ma rencontre.

Une heure plus tard Pierre apparaît, longeant la rivière, sautant d'un bloc à l'autre, exténué, mais heureux...

« Donne-moi à boire ! C'est une cochonnerie ce rocher, ça s'éboule de partout !

— Où as-tu été ? Tu dis une heure, tu restes trois... Des photos on en a assez ! Il faut partir.

— Si chaque fois que j'essaie de faire quelque chose de bien tu me contres...

— Nous étions inquiets », dis-je, regrettant déjà ma véhémence.

Ce sera le seul incident de notre voyage. Pierre a vite retrouvé son sourire.

« Je suis allé tout en haut des Chutes, sur la rive gauche. C'était très beau, l'angle est bien meilleur. Une rude escalade mais ça valait le coup... »

C'est ainsi qu'il acheva le tour photographique complet des « Chutes Virginia ». Certainement la plus riche documentation qui ait jamais été faite de ce site grandiose.

Il ne nous reste plus qu'à redescendre la Nahanni sur deux cent cinquante kilomètres,

274

à franchir à nouveau les quatre cañons, les rapides, à louvoyer dans ses méandres.

« On va d'abord se sortir du Quatrième cañon, ensuite on avisera, dit le P. Mary. Les bougies sont propres, le plein d'essence est fait. En route ! »

V

RETOUR A HOT SPRINGS

La Nahanni nous a repris, son courant nous emporte.

Nous l'avions oublié après cette journée de terriens passée à marcher, à grimper, à s'étendre sur la mousse, à piétiner les rhododendrons nains, loin de la fureur démentielle et du vertige des eaux ! Elle a eu très vite fait de nous reprendre, la Nahanni, que nous regardions de si haut !

A peine Pierre a-t-il bondi dans l'embarcation que celle-ci, happée par le courant, se met à tourbillonner sur elle-même avant que le P. Mary ait pu mettre son moteur en marche. Quand celui-ci, après quelques vaines pétarades, se décide à tourner rond, nous filons en plein milieu, dirigés d'une main ferme par Gus Kraus. A la montée la vitesse de la rivière était deux fois plus forte que notre propre vitesse et nous n'avions pas trop de deux « kickers ». Mais pour redescendre, il suffit de se maintenir à la même allure que le courant dans les endroits faciles et de ne pousser le moteur que dans les rapides afin de mieux gouverner l'embarcation et la diriger au milieu des écueils. Gus a donc décidé que nous n'utiliserions qu'un seul moteur.

En quelques minutes nous avons atteint l'entrée du Quatrième cañon. Déjà les Chutes, leur tumulte, leur nuage de vapeur d'eau, leur bouillonnement ont disparu dans la courbure des falaises et le premier rapide s'amorce devant nous, là où, à la montée, nous avions talonné durement et où nous avions dû haler la barque. Les vagues et les remous se rapprochent très rapidement et le courant menace de nous entraîner vers la falaise où deux barres rocheuses de plus d'un mètre apparaissent dans le creux des vagues.

« *Full speed !* » lance Gus.

Le P. Mary pousse à fond la manette des gaz, nous bondissons de vague en vague. Par trois fois nous sentons une forte secousse, nous avons touché ! Mais il n'est pas question de s'arrêter en cet endroit pour retirer l'hélice; il faut continuer cette course folle, danser sur les vagues, éviter de justesse une troisième barre rocheuse affleurante, avant d'atteindre enfin des eaux plus calmes.

Le P. Mary tourne vers Gus un visage anxieux :

« On a dû bousiller une hélice ! »

Gus hoche la tête :

« Mettez en marche le deuxième moteur, retirez l'autre, on va vérifier ! »

Il y a du dégât : la belle hélice tripale en bronze, fierté du père, est tordue sur son axe, une pale brisée ! Il la contemple un instant avec amertume :

« J'en ai une de rechange, mais celle-ci était la meilleure ! »

Entre-temps nous avons continué notre descente, barrés par Gus Kraus, qui garde prudemment son moteur à l'extrême ralenti, avec juste un excès de puissance sur le courant. Nous sommes sortis du Quatrième cañon, et devant nous la rivière se glisse entre les îles boisées qui précèdent Hell's Gate. La barge touche encore à deux ou trois reprises.

Dans l'impossibilité de sonder à la descente, les pilotes se fient à l'expérience de la matinée pour choisir les meilleurs chenaux ; les eaux ont encore baissé.

Puis le moteur tousse et s'arrête, nous partons à la dérive. Alors le P. Mary échoue volontairement la barque sur un lit de graviers. Les bougies sont encrassées.

« C'est normal. Marcher au ralenti ne vaut rien pour ce genre de moteur ! Il faudra absolument changer l'hélice faussée, comme ça on alternera les kickers et je pourrai nettoyer. »

La rivière décrit une grande courbe et s'enfonce dans la forêt ; deux courtes falaises la bordent, tombant à pic sur les eaux fuyantes, la vallée est barrée par une muraille de sapins apparemment continue, véritable digue forestière enracinée sur les roches.

« Attention ! dit Gus, nous arrivons à Hell's Gate. »

J'ai un petit serrement de cœur tandis que le courant nous entraîne. Comment gouverner une embarcation dans le flot bouillonnant ? Le P. Mary et Gus ne me laissent pas le loisir de réfléchir, ils ont déjà pris leur décision :

« On y va ! dit Father Mary. On se maintient en plein dans le courant, on serre au plus près la falaise amont, et dès qu'on arrive au coude, on barre à gauche pour se sortir des tourbillons, il n'y a pas d'autre moyen ! »

Déjà la barge solide est engagée dans le torrent de lave grise, qui fonce à près de quarante kilomètres-heure vers l'aval, elle file même plus vite que le flot. Le P. Mary attend, moteur au ralenti, prêt à agir au moment voulu. A quelques mètres sur notre gauche, la falaise dresse son mur vertical poli et repoli par les eaux ; elle cesse brusquement un peu plus bas, laissant deviner l'ouverture vers la vallée, mais alors le courant principal va battre de plein fouet le mur rocheux de la rive droite, sur lequel se sont broyés les Suisses et leur canoë métallique ! Nous allons dépasser le coude, il nous reste moins de trente mètres pour en sortir :

« *Full speed !* Pleine vitesse ! » dit Gus.

Le P. Mary n'a pas attendu son ordre : dans un rugissement, le hors-bord soulève la barque sur la crête des vagues, le pilote donne un coup de barre à gauche qui fait pivoter l'embarcation sur elle-même, offrant son long profil aux vagues, tandis que nous sommes aspergés d'eau, puis l'avant retombe lourdement comme un hydravion qui amerrit sur des eaux plus calmes. Les 35 CV du moteur résistent à l'aspiration du courant et sa puissance nous propulse hors de la zone dangereuse. Il était temps ! Nous n'étions plus qu'à dix mètres de la falaise !

La « Porte de l'enfer » est derrière nous.

Gus lâche la manette du kicker, sort son bloc de tabac jaune, le râcle en paillettes fines comme de l'or, roule avec habileté une cigarette, puis s'adressant au P. Mary qui dirige l'embarcation :

« Bien joué, Father ! dit-il. Vous avez mis la sauce au bon moment ! »

C'était en effet une question de dixièmes de seconde, et de beaucoup de sang-froid.

Nous sommes si heureux que nous ne pensons plus au reste, à ce qui nous attend vers l'aval. La preuve a été faite deux fois que la barque de Gus peut supporter les gros remous de la Porte de l'enfer ! Le reste, on le franchira encore mieux !

La question était de savoir si nous devions nous arrêter au bivouac de la nuit précédente ; finalement chacun fut d'avis de continuer : l'orage qui menaçait s'était écarté vers l'est, nous descendions le courant à sa vitesse nor-

280

male. Il nous avait fallu moins d'une heure pour faire un trajet qui nous en avait pris quatre à la montée !

Je ne vous cacherai pas que nous fîmes halte un peu plus bas pour charger la réserve d'essence et de fûts vides entreposée par Gus. C'était encombrant mais ça ne pesait pas. Puis ce fut le confluent de la Flat River et de la Nahanni. Nous étions désormais en pays connu, même Pierre et moi qui retrouvions des sites familiers, les bras morts, l'île où s'était réfugié le grizzly.

Le petit rapide qui suit la jonction de la Flat River, nous le passâmes comme le premier, en vitesse, en utilisant l'hélice faussée pour préserver l'autre, idée judicieuse puisque, là aussi, par deux fois, nous talonnâmes les rochers. Dans ces rapides on ne peut naviguer que porté sur le sommet des vagues ; si par malheur on est pris dans un creux on touche, c'est pourquoi la vitesse de l'embarcation doit être plus grande que celle du courant, ce qui permet — surtout si la barque est longue, comme était la nôtre — de sauter d'une crête de vague à l'autre sans dommage. Mais parfois l'imprévu surgit et c'est le choc tant redouté qui ébranle les membrures et menace d'arracher les moteurs. Ceux-ci sont d'ailleurs, précaution indispensable, reliés à la barque par une forte corde en nylon, de façon à ce qu'on ne les perde pas en cours de route.

Surpris par la rapidité de la descente, nous

ne nous arrêtâmes qu'au bout de vingt miles, à l'entrée du Troisième cañon ! Sur la rive droite, un affluent de la Nahanni avait créé un delta alluvionnaire important sur lequel avait poussé une très belle forêt de peupliers et de spruces. Endroit idéal, nous pûmes tirer la barque au sec, l'amarrer solidement.

La décrue de la Nahanni avait laissé à découvert une véritable plage d'un sable extrêmement fin, gris, contenant d'innombrables paillettes qui scintillaient dans la main.

« De l'or ? » dis-je à Gus, tout ému à l'idée de tenir dans le creux de ma paume quelques milligrammes de ce métal précieux qui fait et défait les empires.

Il me regarda malicieusement.

« Du cuivre ! Si c'était de l'or il y aurait ici vingt prospecteurs en train de laver... Notez que dans tout ce sable il y en a certainement, toutes les rivières qui descendent de la montagne en charrient. »

Nous avions encore plein les yeux des paysages bouleversants que nous venions de traverser, et nos oreilles enfin accoutumées au chant puissant de la rivière trouvaient en celui-ci une douceur romantique appropriée au lieu. Les eaux restaient rapides mais nous n'avions plus le vertige. En comparaison d'Hell's Gate !

Le Troisième cañon commençait un peu plus en aval, mais déjà, en face de nous, la montagne se dressait d'un bloc jusqu'à près de deux mille mètres ; la neige n'y subsistait plus que par plaques lépreuses dans les endroits moins escarpés, les spruces montaient à l'assaut en bataillons serrés entre les couloirs d'avalanches, certains perchés jusque sur les crêtes, où leurs troncs tordus, ébranchés, torturés figuraient autant de sentinelles avancées.

Merveilleux bivouac...

Comme nous avions le temps, nous choisîmes longuement notre emplacement. Ce fut une petite terrasse à l'abri des plus hautes eaux à laquelle le terrain plat, moussu à souhait, et des arbres isolés donnaient une allure de parc. Gus alluma un grand bûcher avec tant de bois mort que les flammes nous interdisaient d'approcher ; alors nous fîmes un feu plus petit sur lequel chanta la bouilloire.

A vingt-deux heures il faisait encore grand jour, puis les ombres montèrent des gorges, drapèrent les parois, et le soleil couchant embrasa les plus hautes montagnes. Comme ses derniers rayons venaient de s'éteindre, des grondements se firent entendre un peu partout. Je reconnus le bruit sourd des avalanches de boue, la terre glissait sous l'action du dégel en altitude. De temps à autre les éclatements brefs des blocs de rocher ricochant sur les plaques schisteuses perçaient cette sombre rumeur. Puis tout sembla s'assoupir, le grand travail éternel de l'érosion terrestre venait de s'accomplir. Il y avait désormais un peu moins de terre en haut, un peu plus d'alluvions et de sapins arrachés dans la Nahanni. Ainsi notre planète s'arrondit-elle lentement, à l'échelle tectonique du temps : le million d'années !

Nous nous aperçûmes très vite que ce coin idyllique était très fréquenté. Sur la plage les ours, les loups, les lynx, les élans avaient entre-croisé leurs traces, c'était sans doute l'abreuvoir commun et nous les avions dérangés. Nous n'en vîmes aucun de toute la nuit. Mes compagnons avaient, selon leur habitude, veillé fort tard, me berçant du bruit de leur conversation, et je fus éveillé le premier par un rayon de soleil qui passait à travers les branches. Les écureuils gris jouaient à dévaler, tête première, le long des gros troncs moussus, bondissaient d'un arbre à l'autre, s'arrêtaient, nous examinaient curieusement. Charmantes petites bêtes ! Les voir danser est toujours un régal.

Nous partîmes très tôt ce matin-là. Gus désirait rentrer le soir même à Hot Springs et la route était longue, près de quatre-vingts miles ! Mais nous étions à la descente. Le Troisième cañon fut franchi avec une facilité inouïe.

Nous fîmes halte à la « Porte ».

A notre ancien bivouac, après avoir chargé encore deux fûts, Gus s'engouffra des tartines de beurre et de confitures. Je cuisinai un riz tout en admirant pour la dernière fois l'entaille majestueuse qui nous avait livré passage, cette

284

coupure sans défaut dans des falaises de quatre cents mètres. Un peu plus bas grondait le premier rapide que nous descendîmes sans histoire par un chenal étroit mais sûr et profond.

Ensuite nous voulions faire halte dans la deuxième vallée, là où la rivière décrit sa grande courbe : « the Bent », afin d'y récupérer les bidons d'essence vides amassés à la montée. Fichés à vingt mètres de hauteur, au sommet du talus d'argile de la rivière, ils étaient signalés par un petit fanion.

Comme nous accostions, j'aperçus au loin, dépassant la falaise et le rideau épais des arbres, un énorme nuage gris pâle et tourbillonnant qui remontait vers nous, suivant le lit de la rivière.

« Vent de sable », dit le P. Mary.

Un vent de sable dans ces montagnes, voilà qui rappelait mon Sahara !

La tornade ne vint pas jusqu'à nous. Le ciel qui s'était couvert sans que nous nous en apercevions lâcha sur nous une pluie torrentielle qui dura quelques minutes, puis les vents balayèrent à nouveau les nuages. On passa sans transition de l'ombre à la lumière. Rarement changement de temps fut aussi rapide.

La difficulté de l'accès rendit le chargement des fûts laborieux. L'accostage ayant été fait dans la partie concave du rivage, où le courant déferlait avec le plus de violence, il me fallait repousser constamment la barque à l'aide d'une perche afin qu'elle ne talonne pas. Puis, au moment de partir, Father Mary donna ses ordres :

« Pierre, détache la corde, repousse la barque et saute. Vous, Frison, poussez sur la perche pour nous envoyer au large. Bon ! En route ! »

A l'instant même où les manœuvres s'effectuaient, une rafale de vent d'une violence inouïe s'abattit sur nous ; Pierre, très agile, avait pu sauter dans la barque, je poussai de toute mon énergie sur la perche arc-boutée sur le haut-fond et la barque prise par le courant s'éloigna brusquement du rivage comme un cheval fait un écart ; je me retrouvai barbotant dans la rivière heureusement peu profonde, retenu d'une main au plat-bord. La barque tournait sur elle-même, le P. Mary avait mis en marche les moteurs et la maintenait dans une position favorable. Je me hissai à bord, trempé jusqu'à mi-corps au milieu des rires de mes compagnons. C'était mon premier « dessalage ». Les épaisseurs de vêtements et de toiles que j'avais revêtus m'avaient préservé superficiellement, et je n'eus pas l'occasion de mesurer la température réelle de l'eau, elle me parut aussi chaude que l'incident !

Tout cela était déjà oublit. Nous filions bon train sur la rivière, j'avais vidé mes bottes, mis à sécher mes bas de laine sur le ponteau de la barge. Je riais de bon cœur avec les autres. J'avais payé mon tribut à la rivière !

Bientôt nous pénétrâmes dans le Deuxième cañon, solennel comme un palais cyclopéen, puis notre barque bondit vers le libre horizon de la Vallée des hommes morts ! Je me retournai pour admirer la chaîne des Funérailles. Gus suivait du regard la longue arête comme s'il cherchait à repérer quelque chose : sans doute un mouton de montagne ? Non ! Le vieil homme au regard d'acier souriait doucement, et comme il était en veine de confidences il me fit part de ses souvenirs.

« Vous voyez cette montagne, et toute la chaîne qui suit ? Une fois, Mary et moi, nous y sommes montés, nous l'avons suivie pendant des miles et des miles, des jours et des jours. Je prospectais, elle chassait, on bivouaquait sous les rochers ; on n'a rien trouvé, on était heureux ! »

Quel couple au monde a goûté cette saveur douce-amère de la liberté totale ? Qu'importent alors les peines, les fatigues, le froid, la chaleur, les moustiques, quand on marche de pair vers un idéal commun. Dans la merveilleuse simplicité de la vie primitive. Heureux Gus, qui a su s'accorder à cette nature, la compendre, l'aimer et s'y incorporer ! Il cherchait de l'or, il a trouvé la paix !

Mais Gus n'a pas pu m'entretenir plus longtemps de ses souvenirs. Nous étions maintenant dans le delta que forme la Nahanni en s'épandant sur plusieurs miles dans la Vallée des hommes morts. Il fallait à nouveau conduire avec prudence, s'arrêter, sonder, choisir le bon courant ! En trois jours des changements importants avaient eu lieu ; les orages qui nous avaient survolés au-dessus des Chutes étaient venus s'abattre ici, ainsi qu'en témoignaient les torrents qui charriaient des boues et des galets dans un bruit infernal.

En bordure d'une île nous découvrîmes une sorte de ponton fait de deux fûts d'essence supportant un épais plancher de madriers. Et, naturellement, le P. Mary et Gus allèrent voir de quoi il s'agissait. Les fûts ? Nous n'avions plus de place et il nous en restait encore d'autres à récolter dans le Premier cañon ! Alors je vis mes deux compères s'acharner durant près d'une heure à démonter le ponton, pièce par pièce, avec une frénésie étonnante, pour récupérer le câble en acier qui maintenait l'assemblage, ce câble sans valeur, abandonné par un pilote d'hélicoptère mais plus précieux pour eux qu'une somme d'argent ; il permettrait à Gus de réparer bien des choses à Hot Springs.

Un peu plus bas, nous fîmes une nouvelle halte mais cette fois à la demande de Pierre qui voulait photographier le travail des castors dans des îlots inondés. La barque fut attachée comme d'habitude à l'entrée d'un marigot, dans un contre-courant ; la rivière coulait à quelques mètres sans nous atteindre.

Quand il fallut repartir, le P. Mary lança ses ordres :

« Détache la corde, Pierre ! »

Un marin eût dit : « Larguez les amarres », mais nous étions si loin de la mer ! Et si le P. Mary a l'âme d'un capitaine au long cours, il n'en a pas le langage.

Nous étions à l'entrée amont du Premier cañon lorsque nous nous aperçûmes que nous avions bien détaché la corde, mais du mauvais côté, du côté du bateau ; elle devait flotter là-haut, dans le courant, amarrée à un gros saule branchu ! Un câble récupéré, une corde perdue ! C'est la vie !

Nous descendions à la vitesse du courant, sans forcer. Le P. Mary, au bivouac de la veille, avait remplacé l'hélice faussée, et nous pouvions disposer alternativement des deux moteurs. La Vallée des hommes morts vint buter contre la chaîne de montagnes de mille mètres de haut que traverse le Premier cañon, puis, dans une courbe, nous distinguâmes l'entrée des gorges. Il ne s'agissait plus de plaisanter, je me souvenais des longs rapides par lesquels la Nahanni s'engouffre dans les gorges : la rivière y décrit des courbes brutales, les rochers pointent contre les parois. Gus a raison, il faut s'y lancer la tête froide.

Chacun se cala au fond de l'embarcation pour cette dernière épreuve. Le P. Mary fit ronfler ses moteurs, tout allait bien, à Dieu vat !

La barque fut comme aspirée par les rapides ; le père la dirigeait d'une main sûre. Donnant les gaz à fond, il longea le bord gauche du courant, effleura presque les pointements rocheux, sauta les barres ; cela cognait dur comme fer sous le plancher de la barge. On se serait cru non plus sur un élément liquide mais sur une masse plastique, bouleversée, bouillonnante, avec des creux et des crêtes, éclaboussés de chaque côté par les vagues que tranchait l'avant du bateau. Il est très long, ce rapide, et il ne s'agit plus de secondes pour le franchir comme à Hell's Gate, mais de minutes. Minutes exaltantes d'ailleurs qui nous donnèrent l'impression de dompter la rivière fougueuse, comme un cavalier le ferait d'un mustang sauvage.

Plus bas c'était tout calme. Le reste n'était plus rien.

« Il aurait fallu un mètre d'eau en plus, dit Gus, c'eût été parfait. »

C'était compter sans les caprices de la rivière qui déjoue toutes les prévisions.

Nous descendîmes ensuite le Premier cañon, qui, cette fois, serait le dernier, à vitesse réduite. La neige avait fondu et les hautes murailles familières avaient pris un aspect désertique ; des nids de verdure s'accrochaient sur les vires, un ruban de spruces verts ourlait parfois la rive. Il fallut bouleverser tout le chargement pour embarquer les bidons cachés dans la forêt, notre barge était transformée en bateau-citerne mais à peu près vide de carburant ; avec les « rendus » Gus et le P. Mary avaient fait une bonne récolte de dollars !

Il était déjà tard lorsque nous entrâmes dans la dernière courbe du cañon. Sur la rive gauche, nous distinguions des sources, un cône d'éboulis drapé à son pied dans une épaisse forêt et, plus haut, les falaises calcaires s'étageant jusqu'au ciel. C'est alors que le P. Mary découvrit à faible distance deux moutons sauvages au pâturage sur le gazon clairsemé des éboulis. Pierre exulta :

« Ceux-là je les mets dans la boîte !... »

On ne pouvait pas lui refuser cette joie.

Il nous fallut un certain temps pour virer dans le courant, remonter les quelques centaines de mètres perdus au cours de la manœuvre, et finalement trouver un amarrage solide dans un bras mort au pied de la forêt. Pierre et le P. Mary, lourdement chargés des appareils photos, disparurent dans les taillis. Gus et moi, pour passer le temps, nous avions allumé un feu sur la grève et fait du thé. Les ombres du crépuscule s'élevaient lentement jusqu'aux roches sommitales irradiantes de lumière dorée. La rivière entonnait dans les derniers rapides un hymne sauvage. C'était un lieu admirable. Après une absence de près de trois heures, nos chasseurs revinrent très contents mais complètement épuisés ; l'approche, puis la poursuite des moutons sur les vires escarpées en pleine falaise, avaient pris plus de temps que prévu, mais les clichés étaient faits.

« Des bêtes magnifiques, grosses comme des veaux, avec des cornes en spirales comme les béliers de Jupiter Amon ! les décrivit Pierre. Et pas trop farouches ! Je les ai approchées de très près, ensuite elles ont pris la fuite, dans un galop d'une souplesse extraordinaire, bondissant comme des balles de caoutchouc, sur des vires impossibles... »

Je me souviens des mouflons du Hoggar, de leur élasticité, de leur fuite silencieuse sur les dalles rocheuses, où ils adhèrent par leurs sabots caoutchoutés, formant ventouse... Les moutons sauvages de la Nahanni n'ont pas de laine non plus, ils portent une belle robe jaune pâle formée de longs crins touffus, encore bourrés à cette saison de l'épais duvet de la fourrure d'hiver...

Lorsque nous repartîmes à la nuit, nous n'étions qu'à quatre miles de Hot Springs. Bientôt ce fut le dernier rapide, qui vomit ses eaux à la sortie des gorges, juste à hauteur de la cabane de Gus Kraus. Nous le franchîmes avec prudence, moteur ralenti au départ, puis poussé à fond dans les couloirs étroits du lit de la rivière.

Après cette descente de la Nahanni, nous débouchions à l'air libre, comme des prisonniers rendus à la vie civile. Tout n'était plus que douceur de vivre, détente, repos !

292

Du haut de la berge, Mickey, qui avait entendu le bruit des moteurs, nous accueillait à grands gestes d'amitié.

Pierre lui lança l'amarre, Gus sauta à terre d'un mouvement vif.

« Va chercher le tracteur, Mickey, on va décharger tout ça... »

Il montra les barils vides qui encombraient sa barque.

Mickey cligna de l'œil. Bonne récolte !

VI

FORT SMITH
ET LA RESERVE DES BISONS

HOT SPRINGS était redevenu pour nous le centre
du monde, du monde habité. Nous oubliions
que nous étions à des milliers de kilomètres
de toute vie civilisée : n'étions-nous pas sortis
du vide des montagnes, de ces vallées fermées
comme des prisons ? N'avions-nous pas
échappé aux sortilèges de la Nahanni, à la
vallée sans retour ? Mickey, sa mère et Gus,
ces trois personnes symbolisaient la permanence de l'homme en ces forêts primaires.
Trois personnes qui suffisaient à peupler le
désert !

Pas plus Mary que son fils ne nous prièrent
de conter nos aventures. Ah ! si. Mary nous
demanda si nous avions vu des élans, des
moutons : « Bonne viande le mouton ! » dit-
elle d'un air gourmand. La Nahanni pour elle
c'était cela : une réserve de viande ; pour Gus,
une mine inexploitée de minerais précieux.
Pour Pierre et moi ce n'était déjà plus qu'un

294

souvenir parmi nos aventures passées ; une expérience nouvelle, enrichissante, la connaissance d'une rivière, de ses remous, de ses rapides, de sa force mystérieuse, cependant contrôlée par la volonté et l'expérience de nos amis.

Gus retrouva ses pantoufles, son fauteuil rustique, son poste radio, avec un certain plaisir. A soixante-douze ans on s'attache parfois aux biens matériels. Mais il gardait le même sourire juvénile pour parler librement et sans contrainte avec nous ; nous n'étions plus pour lui les étrangers, nous avions vécu ensemble sur la rivière, nous avions dormi côte à côte sur la mousse humide des rives, ce qui était sa vie était aussi la nôtre, nous étions tous des aventuriers de race.

Mary l'Indienne nous confectionna des petits plats, des gâteaux, nous échangeâmes des cadeaux, nous bavardions longuement de tout et de rien, de la rivière surtout, qui coulait au pied du bungalow, grise et sinistre.

Au matin je fis un petit tour jusqu'aux sources chaudes. Il n'y avait plus de morilles, une trace d'ours était marquée dans la glaise à quelque cinquante mètres de la maison. Mais tout cela était naturel, nous n'y pensions plus. Nous oubliions que seuls quelques rares humains avaient pénétré le « bush » à la poursuite de fourrures ou de pépites. Un projet que Dick Turner m'avait exposé me revenait en tête. Le « trader » rêvait de faire de Hot Springs et des Virginia Falls un centre de tourisme. Naturellement, il ne s'agissait pas d'y conduire les touristes dans l'inconfort des barges, trop de risques ! Dick voulait établir un service d'hydravions, qui se poseraient sur la rivière, comme l'hydravion du « Water Service », et sur le plan d'eau au-dessus des Chutes. Il faudrait construire une cabane de chasse très confortable bien sûr, avec moustiquaires, air climatisé... Etait-ce dans ce but qu'il s'était envolé pour Dawson ? Son rêve sera-t-il un jour réalité ? Je souhaite que non, la rivière sauvage doit rester comme elle est, inhospitalière, dissimulant ses trésors au sein des montagnes.

Pour apprécier les chutes Virginia il faut avoir remonté la Nahanni. Que reste-t-il d'une vision aérienne rapide, sinon une photo sans dimensions, sans échelle et même sans âme, car ce qui fait la sauvagerie et la grandeur des paysages, c'est ce que nous leur apportons, nos émotions, nos rêves, notre impuissance. Allez au Niagara, touristes ! Mais laissez-nous ces montagnes inconnues, belles et inutiles, et plus nécessaires à la survie de l'homme que si elles étaient peuplées.

Nous avons passé le temps à faire des photos de famille, Mary l'Indienne adore les photos, elle nous a sorti l'album où on la voyait jeune fille chez les Sœurs à Fort Simpson, puis chasseresse, fusil à l'épaule, et, plus tard encore, vieille et avenante comme aujourd'hui, dépouillant un élan. Le P. Mary a désarmé la barque de Gus Kraus, transféré les moteurs sur la sienne, et s'est débarrassé de la moitié des prises : les bidons vides...

A quinze heures, nous fîmes nos adieux. Mais le départ fut plutôt raté. Le sort prit un malin plaisir à nous faire échouer sur une roche plate affleurant à quelques mètres du rivage. Gus, resté sur la rive, riait de toutes ses dents, le P. Mary pestait, humilié ; nous avons uni tous trois nos efforts et la barque a flotté de nouveau, emportée par le flot de la Nahanni. Le moteur tournait rond, nous avons pris une grande vitesse ; derrière nous s'ouvraient les portes du Premier cañon et le mystère des gorges, je distinguais encore le toit brillant du bungalow et sur la terrasse deux petites silhouettes qui agitaient la main. Gus et Mary Kraus retournaient à leur solitude.

Je ressentis immédiatement la différence de comportement de notre nouvelle embarcation ; l'autre était un char d'assaut, celle-ci taillée pour la course, longue, effilée, avec une véritable proue qui fendait les vagues au lieu de les gravir comme le faisait la lourde barge de Gus Kraus. Elle ne permettait pas les écarts, une rupture de charge aurait suffi à la faire chavirer, mais délestée comme elle l'était de tout le poids du carburant emporté au départ, elle n'avait pratiquement pas de tirant d'eau et flottait comme un cygne. Le P. Mary l'avait retrouvée avec une joie non dissimulée, c'était son bateau, construit de ses mains pour la rivière Liard, le bateau qu'il aimait.

Nous mîmes un peu plus de trois heures pour couvrir les cinquante miles qui nous séparaient de Nahanni Village ; le paysage qui nous avait paru statique se mouvait et se contorsionnait au hasard des méandres de la rivière. Après avoir doublé Twisted Point, nous nous arrêtâmes pour photographier le travail des castors, puis la Butte. Notre montagne-témoin épanouit son dôme sur l'horizon du sud. Nous la revîmes avec allégresse. Une vague grisaille sur ses dalles brillantes indiquait l'endroit de notre tête-à-tête avec le grizzly. Tout cela appartenait à un passé déjà lointain, comme si nous avions été absents plusieurs années, et pourtant il y avait une semaine que nous étions partis ! Mais chaque minute, chaque heure de ce voyage avait compté triple ou quadruple au sablier du temps. Notre barque était légère mais nous étions lourds d'émotion contenue, lourds de toute notre richesse intérieure.

« Ça valait le voyage ! » dit Pierre laconiquement, comme nous accostions devant le village indien.

Les habitants avaient allumé leurs grands feux d'herbe pour chasser les moustiques, ils évoluaient comme des fantômes dans la brume de fumée qui stagnait sur les cases. Nous étions de nouveau très loin, mêlés aux plus anciennes civilisations.

Le lendemain, dimanche, le P. Mary avait revêtu sa soutane et son aube et prêchait avec une ferveur contenue son petit monde. Il parlait dans la langue des Indiens et le sens de ses paroles nous échappait. Il avait retrouvé ses âmes, le bonheur irradiait de son visage. A lire dans ses yeux passionnés on savait que Dieu était en lui.

En fin de journée il prit une décision :

« Je vous ramènerai à Simpson par la rivière ! Nous partirons très tôt car la distance est grande : cent vingt miles ! »

Au petit matin le mauvais temps s'était déclenché sur les montagnes. La Butte fumait de tous ses cumulus, arrondissant des rouleaux de nuées grises sur ses falaises. Le vent soufflait avec une grande violence, et la Nahanni, dans toute sa largeur, scintillait comme si son lit eût été parsemé de brisants.

« Mauvais, ça ! dit le P. Mary. Avec un vent pareil, je doute qu'on puisse franchir les rapides de la Liard, les vagues y sont très hautes et par vent du nord elles déferlent avec violence. Allons consulter la météo. »

L'instituteur n'était pas rentré de Dawson où il avait accompagné Dick Turner. Sa femme avait pris les nouvelles, qui n'annonçaient rien de bon : vent violent, plafond bas, orages...

« On va vérifier chez Dick, dit le P. Mary, ce sera plus précis. »

La barque était chargée le long de la rivière. Les Indiens vaquaient à leurs occupations.

Seul Konisenta vint nous dire au revoir, les autres s'étaient désintéressés de nous. Nous passions dans leur vie sans la modifier ; qu'étions-nous à leurs yeux ? Le fait d'avoir remonté la Nahanni pour rien, car ils savaient que nous n'étions ni fonctionnaires, ni prospecteurs, ni marchands, devait leur sembler aberrant.

Larguées les amarres, le courant de la Nahanni nous emporta de nouveau.

Le vent soulevait des vagues courtes et sèches, que tranchait avec décision l'embarcation du P. Mary. Dans le chenal qui conduisait chez Dick, tout était calme. Vera Turner était seule, son fils occupé à défricher quelque arpent de brousse. Elle nous reçut comme elle l'eût fait dans un salon britannique, en grande dame. La météo ? Elle allait s'informer. Le poste cracha, toussota ; à Fort Simpson on signalait le mauvais temps, à Liard c'était encore plus mauvais, mais on annonçait une accalmie. Qu'allions-nous faire ?

« On essaie ! dit Pierre.

— On essaie mais je ne garantis rien, accepta le P. Mary. On verra comment ça se présente au confluent de la Nahanni et de la Liard, si là-bas on embarque des paquets d'eau, pas la peine d'aller plus loin, on serait forcément obligés de bivouaquer quelque part ! Etant donné le volume des eaux, il faut du temps calme pour franchir les rapides de la Liard. »

Notre avion quittait Fort Simpson le lendemain à onze heures. Le suivant ne passerait que quatre jours plus tard. Maintenant que tout était terminé, nous n'avions qu'une hâte, rentrer. Le démon inexorable de la vie moderne dirigeait de nouveau nos actes, nous parlions horaires, escales, avions... oui, l'aventure était bien finie.

Pas tout à fait cependant. Lorsque nous descendîmes jusqu'au confluent de la Liard, les bourrasques de vent se firent de plus en plus violentes. Nous recevions de grosses vagues qui embarquaient de l'eau par l'avant, il fallait écoper sans arrêt et, comme la tourmente venait sur nous, il était pratiquement impossible au pilote de tenir la barre dans ces conditions défavorables. Le P. Mary vira de bord sans même nous consulter et nous revînmes nous abriter chez Dick Turner. Vera ne fut pas étonnée de nous revoir, trempés, dégoulinants et nous réconforta d'un peu de thé chaud.

« Où travaille Donald ? s'informa le P. Mary.

— Sur la rive droite de la rivière, en amont du dépôt d'essence.

— Venez ! On va voir s'il peut vous dépanner avec son petit « super-cub » ! »

Le P. Mary nous fit traverser la Nahanni jusqu'au village et nous pria de l'attendre dans la barque.

« Ça serait dommage de manquer cet avion!»

Malgré toute la gentillesse que nous savions

trouver chez les pères Oblats de Simpson, nous n'envisagions pas de séjourner quatre jours dans ce poste où rien ne nous attirait spécialement. Notre désir était de faire escale à Fort Smith pour visiter de nouveau la grande réserve des Bisons. Si nous manquions la correspondance nous n'aurions plus qu'à dire adieu à la dernière partie du programme.

Le P. Mary revint peu après avec Donald Turner. Avec une extrême gentillesse celui-ci accepta spontanément de faire deux voyages à Simpson pour nous dépanner. Deux car son petit avion est un biplace et il y a aussi les bagages. Et de retraverser la Nahanni... Donald se fit préparer un solide breakfast par sa mère puis je l'accompagnai jusqu'au bout de piste où stationnait le petit avion solidement amarré au sol par des câbles. Le plein du réservoir fait, nous décollâmes en direction du nord.

Une heure plus tard, ayant survolé le bush parsemé de lacs encore gelés, nous nous posions à Fort Simpson. Donald fit le plein d'essence, m'annonça qu'il serait de retour avec Pierre dans trois heures et repartit. Comme tout était simple !

Pierre arriva à l'heure dite, et Donald s'envola une nouvelle fois pour la Butte, emportant nos derniers messages d'amitié pour le P. Mary et Gus Kraus.

Ensuite les choses se précipitèrent. Le soir même je donnais une conférence filmée au lycée mixte devant les jeunes Indiens en stage. Puis, le lendemain, le P. Pocet nous accompagna sur son « char » jusqu'au terrain où se posa à l'heure prévue le Javeline à turbo-propulseur venu d'Inuvik.

Les charmantes hôtesses de l'air nous firent le meilleur accueil souriant, nous étions des habitués de la ligne, six atterrissages ou décollages à Yellowknife en moins d'un mois !

Le soir même, un jeune homme souriant, vêtu de tweed, nous attendait à Fort Smith, c'était notre compatriote et ami le P. Pochat, de La Clusaz, en Haute-Savoie. Nous avions beaucoup de choses à nous dire depuis 1966. N'était-ce pas lui qui, indirectement, avait suscité ma curiosité, puis mon désir de connaître la Nahanni ?

« On en revient, père Pochat ! C'était bien ce que vous nous aviez promis !

— Et maintenant ? dit-il.

— Les bisons ! Nous les avons vu galoper dans la neige de l'hiver, nous serions curieux de connaître leur habitat d'été.

— Mr. Adie, le superintendant du Buffalo Wood National Park, va vous arranger ça ! Je lui téléphonerai. »

Toujours actif, le P. Pochat, efficace et précis ! Comme lui les pères et les frères de la Mission de Fort Smith, tous de langue française (Québécois, Français ou Belges), nous réservent un accueil très amical. Nous racontons notre histoire. Nous logeons à la maison de retraite et la plupart des missionnaires qui sont ici se reposent des dizaines d'années d'apostolat dans le bush ou sur la banquise. Ils se passionnent pour notre récit et envient le P. Mary de continuer à mener cette vie d'aventures dans les solitudes. L'un d'eux nous fait visiter le musée ethnographique, déjà riche de très beaux dons concernant aussi bien l'histoire de l'évangélisation et de la pénétration dans les territoires du Nord que celle des tribus indiennes, représentées par leur outillage de chasse ou de pêche, leurs vêtements de peaux, leurs canoës d'écorce ou de cuir.

Je ressens ce soir-là une fatigue intense, elle s'est développée d'un seul coup, qui provient sans aucun doute de la somme d'efforts soutenus durant quarante-cinq jours. Dès que cesse l'action, la volonté ne contrôle plus le corps, on retombe dans la médiocrité égoïste des maux quotidiens. Je m'intéresse à ma jambe blessée, encore douloureuse, je souffre d'un abcès dentaire ! Tout cela, je n'y songeais guère sur la Nahanni. Bien d'autres choses occupaient mon esprit !

C'est décidé. Demain le superintendant Adie et le P. Pochat nous feront les honneurs du Parc national. Il n'est pas question de tout voir, puisqu'il occupe une superficie égale à plusieurs départements français ! Adie nous conduira sur les points de la forêt où nous aurons le plus de chances de rencontrer les bisons.

En fait, nous avons poussé au sud jusqu'à la Peace River.

La région que nous traversons renferme 25 000 bisons ! C'est une vaste plaine d'alluvions sableuses couverte de pins, de peupliers, de spruces qui évoque par certains aspects la forêt des Landes. Les cuvettes forment des marécages, quelques vastes clairières offrent des pâturages à l'herbe rase. Toute la région est infestée de moustiques.

Les bisons sont faciles à trouver. Il suffit de suivre la piste carrossable qui coupe la forêt du nord au sud, de la Slave River à la Peace River, et sert en même temps de tranchée pare-feu. C'est dans ce couloir d'une cinquantaine de mètres de largeur où le sillon ocre de la piste est bordé par deux bandes vertes de gazon que les bisons se tiennent de préférence : l'herbe des fossés y est tendre et le courant d'air constant chasse les moustiques.

Nous découvrons de nombreuses hardes. Les jeunes veaux à la toison jaune clair gambadent autour des femelles. Les mâles, l'œil inquiet, montent la garde. Nous nous arrêtons hors de vue du troupeau et avançons à pied en nous dissimulant dans les fourrés, derrière les arbres. Je me souviens des recommandations de M. Olsen, l'ancien superintendant du parc, actuellement à la retraite :

« Méfiez-vous ! Le bison est un animal idiot. Son champ de vision est très restreint, il fonce sur n'importe quoi ou il prend la fuite ; restez à proximité d'un arbre, ne vous aventurez pas en pleine clairière ! »

Nous avons suivi ses conseils, une approche prudente nous a permis d'avancer jusqu'à dix-douze mètres des bisons, qui paissaient tranquillement, ignorant notre présence. Puis une bête leva la tête, flaira le vent, une autre l'imita. Elles regardaient dans notre direction sans nous voir, mais déjà l'alerte était donnée.

« Attention, Pierre, ils nous ont sentis ! »

Presque aussitôt un vieux mâle s'ébranla au galop de chasse et toute la harde suivit, entourant les jeunes veaux. En moins d'une minute un troupeau de trente à quarante têtes fut englouti par la forêt. On entendit des bruits de branches brisées, puis plus rien ! La légèreté silencieuse de leur galop paraît incroyable chez des monstres pesant jusqu'à douze cents kilos !

Parfois nous débouchions à l'improviste sur des couples solitaires. Aussi surpris que nous, ils dressaient la tête et fuyaient en montrant leur croupe au grand désespoir de Pierre.

« Tu préférerais qu'ils te chargent ? demandai-je ingénument.

— Bien sûr ! C'est beau un bison qui fonce, tête baissée ! »

Dans cet immense territoire où nous avons roulé toute une journée on découvre de place

306

en place des maisons de gardes entourées de barrières de bois, très coquettes avec leurs pelouses bien entretenues. Nous fîmes halte dans l'une d'elles à Peace Point, sur la Peace River, au sud de la réserve. C'est déjà la province d'Alberta, mais tout y est aussi sauvage que dans les territoires du Nord et tout aussi inhabité. Quelle ne fut pas notre surprise en venant buter sur la rivière de voir une harde d'énormes bisons, aux bosses monstrueuses, pâturant sur la pelouse du garde. N'eût été la fuite éperdue que provoqua notre arrivée, on les aurait pris pour un troupeau d'animaux domestiques.

Au fond, Pierre et moi regrettions d'être venus. Nous avions conservé de notre première rencontre avec les bisons, il y a trois ans, le souvenir d'une fresque préhistorique. Dans le plein hiver et le froid les monstres d'Altamira ou de Lascaux, poursuivis par les loups, bondissaient, pris au piège dans un mètre de neige poudreuse. Maintenant, avec l'été, la forêt avait repris son air de parc et perdu son mystère.

On a quelquefois tort de revenir sur son passé.

Pourtant, nous devions emporter de cette dernière journée une vision grandiose. A Peace Point, la Peace River, qui n'a pas encore reçu les eaux de l'Athabasca, n'en est pas moins un fleuve important qui présage le Mackenzie, ses eaux profondes et larges sapent les berges, élargissant progressivement le lit de la rivière. C'est par cette voie d'eau qui descend vers le nord que sont passés les conquérants de l'or, des fourrures, mais aujourd'hui les convois s'y font rares. La « Highway », la route et surtout l'avion ont triomphé de la voie fluviale. Seuls voguent sur le grand fleuve les canoës des Indiens chassant le castor, l'ours noir ou l'élan ; c'est un retour à la vie sauvage.

A Fort Smith même la rivière grossie de l'Athabasca porte le nom de Slave River qu'elle conservera jusqu'au Grand Lac des Esclaves. Un peu en amont de Fort Smith, la Slave River se précipite dans un des plus beaux rapides que l'on puisse voir, imposant par sa longueur, la masse énorme de ses eaux, les rocs qui affleurent en plein lit, et l'ampleur du site (un mile au moins de largeur).

Au soleil couchant nous sommes allés l'admirer, ce rapide.

C'était comme un écho de notre récent passé ; le tumulte du fleuve éclatait en coups sourds et prolongés, des aigles pêcheurs, des pélicans volaient bas, les vents tissaient sur le bruit de fond des rapides une symphonie déchirante, les eaux écumaient en geysers, en chutes, en tourbillons, et la vitesse du courant, comme naguère, nous donnait le vertige. Il était bien que l'aventure se terminât sur ce rappel d'une des impressions les plus marquantes de notre voyage.

Un mois entier nous avions, Pierre et moi,

navigué sur des eaux troubles et dangereuses, à travers des forêts sans cesse renouvelées depuis la dernière glaciation. La Peace River et ses rapides nous rappelaient qu'ici les eaux sont maîtresses des terres.

Rien ne peut les discipliner.

Tout un quartier de Fort Smith, avec ses villas résidentielles, a glissé il y a moins d'un an dans le lit de la Peace River du haut d'une falaise de sable de plus de trente mètres. La forêt qui bordait la rivière sur trente mètres en profondeur est descendue elle aussi sur le plan du clivage jusqu'au niveau des eaux, comme si les arbres avaient été replantés à cet endroit.

Les maisons ? Elles ont été écrasées ; par chance c'était à l'heure où il n'y avait personne.

Le lendemain nous nous envolions de Fort Smith. Le bruit des réacteurs ne parvenait pas à estomper dans notre mémoire et dans notre cœur le chant profond des rivières du Nord. Les nuages couraient sous nos ailes. De lourdes masses orageuses prenaient naissance à l'ouest, dans les Rocheuses, et fonçaient sur nous à toute vitesse.

« C'est mauvais sur les montagnes ! » dit Pierre.

Il se tut, il rêvait. Comme moi.

Nous étions encore sur la Nahanni, et du fond des cañons nous regardions avec angoisse se former sur les cimes les volutes de nuées grises annonciatrices des tourmentes.

NOTICE

LA NAHANNI EST-ELLE NAVIGABLE ?

Conclusion des auteurs

ENTRE le raid audacieux de Poirel, Bordet, Bernardin et Rochat[1], se laissant emporter au gré du courant, dans leurs dinghys de caoutchouc incontrôlables, et notre remontée minutieusement préparée par des hommes connaissant la rivière, aucune comparaison n'est possible. L'exploit sportif des quatre Français ne sera pas renouvelé. Ce que nous avons réalisé, d'autres — très peu nombreux — l'avaient fait avant nous. Tous étaient revenus des Virginia Falls, heureux d'en être quittes et avec l'impression que tout s'était bien passé mais qu'il ne faudrait pas recommencer trop souvent cette expérience.

---

1. Récit recueilli par V. Mallen et publié sous le titre *Victoire sur la Nahanni* (Flammarion, 1968).

La crainte de la Nahanni existe, la rivière est devenue légendaire, tant par son passé tragique et ses quarante-trois morts que par les difficultés réelles de son parcours.

Depuis notre retour nous avons beaucoup réfléchi, Pierre et moi, et nous nous posons sans cesse cette question : la Nahanni est-elle navigable ? Finalement nous sommes d'accord : oui ! la Nahanni est navigable jusqu'aux « Virginia Falls », mais cette navigation sera toujours très difficile. Les difficultés ne diminueront qu'avec le renouvellement fréquent des expériences par les mêmes navigateurs.

Les rares bateaux qui ont tenté l'aventure ont fait le trajet aller et retour et n'ont pas recommencé.

Seuls des hommes comme Albert Fayler ou Gus Kraus s'y sont risqués à plusieurs reprises. De là leur expérience. Mais pour connaître vraiment la Nahanni il faut la parcourir sans cesse, cinq ou six fois par an, davantage même. Il faut apprendre à évaluer la hauteur des fonds par rapport au niveau d'eau et à la largeur du lit, il faut l'avoir remontée ou descendue tantôt par fortes crues, tantôt, comme nous l'avons fait, aux basses eaux. Dans les deux cas les problèmes sont différents, aucun rapport ne peut être le même ; Hell's Gate ou les rapides ne se franchissent pas deux fois de la même façon ! Tout change d'un jour à l'autre.

La Nahanni ne peut donc être considérée

comme navigable, c'est-à-dire fréquentée régulièrement, que pour un pilote de la rivière qui passerait l'été sur ses courants et profiterait de son expérience pour améliorer son embarcation. Celle-ci doit être extrêmement solide — la barque de Gus Kraus l'était — ; il sera prudent aussi de jumeler deux moteurs de forte puissance, afin de prévenir une panne sèche en plein courant. Il faut enfin trouver un système de carénage pour préserver l'arbre et l'hélice du hors-bord lorsqu'on touche car, à ce moment-là, il est trop tard pour basculer le moteur hors de l'eau. Dans ces conditions seulement la Nahanni est navigable, ni plus ni moins que telle autre grande rivière. Tout est question d'expérience et celle-ci ne peut s'acquérir qu'à l'usage. La Nahanni est navigable au sens exact du mot pour un pilote qui la remonterait et la descendrait une dizaine de fois par saison.

Autant dire que cela n'arrivera pas !

C'est d'ailleurs ce que nous souhaitons de tout cœur.

Elle est si belle notre rivière avec ses mythes et ses légendes !

Nahanni, rivière de la Vallée sans hommes.

TABLE

ŒUVRES DE ROGER FRISON-ROCHE

Chez le même Éditeur :

PREMIER DE CORDÉE.
LA GRANDE CREVASSE.
RETOUR A LA MONTAGNE.
MONT-BLANC AUX SEPT VALLÉES,
Grand Prix littéraire du Tourisme, 1960.
LA VANOISE, PARC NATIONAL,
par Roger Frison-Roche et P. Tairraz.
Prix Voyage 1973.

BIVOUACS SOUS LA LUNE :

LA PISTE OUBLIÉE.
LA MONTAGNE AUX ÉCRITURES.
LE RENDEZ-VOUS D'ESSENDILÈNE.

Lumière de l'Arctique :

LE RAPT. Grand Prix Littéraire de la Jeunesse, 1963.
LA DERNIÈRE MIGRATION.

Belles Pages - Belles Couleurs :

LE GRAND DÉSERT. Photographies de Georges Tairraz.
SUR LES TRACES DE PREMIER DE CORDÉE.
Photographies de Georges Tairraz.

Les Beaux-Pays :

MONT BLANC AUX SEPT VALLÉES (en collaboration avec Pierre Tairraz)
Grand Prix Littéraire du Tourisme.

Le Monde en Images :

MISSION TÉNÉRÉ.

Clefs de l'Aventure :

PEUPLES CHASSEURS DE L'ARCTIQUE.
SAHARA DE L'AVENTURE.

Chez d'autres Éditeurs :

L'APPEL DU HOGGAR (Flammarion).
EN SKIS ET A CHAMEAU A TRAVERS LE GRAND ERG OCCIDENTAL
(1937, S.I.P.A.).
KABYLIE 39 (S.I.P.A.).
SUR LA PISTE D'EMPIRE (Charlot).
LES MONTAGNES DE LA TERRE (2 volumes grand in-4°. Flammarion).

IMPRIMÉ EN FRANCE PAR BRODARD ET TAUPIN
7, bd Romain-Rolland - Montrouge - Usine de La Flèche.
Le Livre de Poche - 22, avenue Pierre 1er de Serbie - Paris.
ISBN : 2 - 253 - 00221 - 6

Le Livre de Poche
« Jules Verne »

ntégralité des textes avec toutes les illustrations de la célèbre collection Hetzel.

Dans la même série : Hector Malot.

Le Livre de Poche
« exploration », « nature »